Frankrijk & *zijn grote schrijvers*

Van dezelfde auteur:

Circus Melancholia (1972)
De scherven van de slijter (1974)
De vriend van de koning (1974)
Het bederf (1974)
Liefde en leugens (1977)
Een avontuurlijke reis (1978)
Dag zonder einde (1979)
Weerloze liefde (1982)
De omgekeerde wereld (1984)
Stadsgezichten (1985)
Jan Cremer in beeld (1985)
Wachten op de maan (1989)
De egelantier (1993)
Canigou (1993)
Een schandelijke geschiedenis (1994)
De verdwenen stad (1996)
Vladimir Nabokov (1996)
Schotsen springen (1997)
Wimbledon Revisited (1999)
Gedicht 99 (1999)
De meisjes van de Kinkerstraat (2000)
De glazen school (2001)
Het korte leven van Rosa ter Beek (2002)
Montmartre heeft echt bestaan (2003)
De zwanen van het IJ (2003)

GUUS LUIJTERS

Frankrijk & *zijn grote schrijvers*

Uitgeverij L.J. Veen Amsterdam/Antwerpen

De vertalingen in dit boek zijn van Guus Luijters, tenzij anders vermeld.

Omslagontwerp Volken Beck

D/2004/0108/713
ISBN 90 204 0629 9
NUR 320/633

www.boekenwereld.com

Inhoud

Inleiding

Toegegeven, het boek is belangrijker dan de schrijver, maar dat neemt niet weg dat schrijvers een niet onbelangrijke rol spelen bij het tot stand komen van boeken. Er zijn veel mensen die dat niet lijken te beseffen. Dat er voor de nieuwe Tim Krabbé een schrijver nodig is die Tim Krabbé heet, willen ze nog wel aannemen, maar boeken die meer dan zeg vijftig jaar geleden zijn geschreven, zijn ze geneigd te beschouwen als producten die ooit kant-en-klaar uit de hemel zijn komen vallen. Omdat u mij niet gelooft, wil ik u een ogenblik meenemen naar onze kindertijd. Ik was elf en voor mijn verjaardag had ik van mijn oom en tante een boek gekregen, een dik boek dat *De drie musketiers* heette. Het speelde in de zeventiende eeuw en het ging over vier musketiers van de koning, dat waren mannen met degens die de musketiers van de kardinaal het leven zuur maakten en en passant goede daden verrichtten, zoals het uit benarde situaties redden van mooie koninginnen. Het was een spannend boek en ik las het met rode konen van opwinding. Toen ik het boek uithad, zei ik: 'Jammer', maar, en nu komt mijn punt, vroeg ik: 'Zou Alexandre Dumas nog meer van zulke spannende boeken hebben geschreven?'? Welnee. Tien tegen een dat ik niet eens wist dat de schrijver van het boek Alexandre Dumas heette. Veel waarschijnlijker is dat het boek een deel was uit de Avonturenreeks, en dat ik in plaats van op zoek te gaan naar een ander boek van Alexandre Dumas het volgende deel uit de Avonturenreeks ter hand nam, *De jacht op de Witte Walvis* bijvoorbeeld of *Het geheimzinnige schateiland.* Ik was zeker al veertien voor ik verband legde tussen *De drie musketiers* en *De graaf van Monte-Cristo.* Mijn belangstelling voor Alexandre Dumas dateert van nog veel later. Eerst de boeken, dan de schrijvers, dat is de volgorde.

Zoals voor alle kinderen met leeshonger gold voor mij dat een boek niet dik genoeg kon zijn. Ik was niet kieskeurig. Zo las ik de avonturen van Old Shatterhand zonder de eindeloze, religieus getinte natuurbeschrijvingen over te slaan, maar de saaiheid van *Sara Burgerhart* of *De roos van Dekama* ging zelfs mij te ver. Als vanzelf kwam ik terecht bij de even dikke als spannende boeken van de Russische en Franse schrijvers van de negentiende eeuw.

Het toppunt van mijn leeshonger lag in het begin van de jaren vijftig van de vorige eeuw. Ik woonde in een volksbuurt en van de bibliotheek moest je het daar niet hebben. Je mocht alleen binnen je leeftijdscategorie lenen, en niet meer dan twee boeken in de week. Dat schoot niet op. Maar gelukkig, arbeiders hadden toen nog boekenkasten en die boekenkasten stonden vol met volksuitgaven van schrijvers als Tolstoj en Balzac, Dostojevksi en Dumas. Het maakte mij niet uit of de held van de geschiedenis Raskolnikov heette of Rastignac. Dat ik een voorkeur ontwikkelde voor de Franse literatuur had te maken met de goedgevulde boekenkasten van de vrienden die ik op mijn vijftiende in Frankrijk kreeg. De hele Franse canon stond daar op alfabet, en dat niet alleen, als je een boek uit de kast pakte, kreeg je er meteen een verhaal bij geleverd. Wist ik dat Alexandre Dumas ook een fameus kookboek had geschreven, en dat hij met Garibaldi naar Rome was opgetrokken? Wist ik dat Colette aan het einde van haar leven met een Nederlander getrouwd was, en dat ze een verhouding had gehad met de zoon van haar tweede man? Mijn gesprekspartner had Jacques Prévert persoonlijk gekend, net als Antoine de Saint-Exupéry. Enkele jaren voor haar dood viste ik op een balkon dat uitkeek op de Canigou nog een door Brassaï voor haar gesigneerd boekje uit een doos. 'Neem maar mee,' zei ze. 'Bij jou is het beter op zijn plek dan hier.' Mijn liefde voor de Franse literatuur en voor de petite histoire van de Franse literatuur is ongetwijfeld terug te voeren tot die tijd.

Het boek dat u op het punt staat te gaan lezen, is geen literatuurgeschiedenis waarin schrijvers en hun opvattingen, tot scholen gegroepeerd, hun voorspelbare opwachting maken. In de eerste plaats is het een boek vol gaten, want ik heb me bij de keuze van mijn onderwerpen onvoorwaardelijk door mijn persoonlijke voorkeuren laten leiden. Zo zult u wel Colette, Albert Cohen en Marcel Pagnol treffen, maar niet André Malraux, Albert Camus of Jean-Paul Sartre. Mijn afkeer van geëngageerde literatuur is groot. Dat ik voor Louis-Ferdinand Céline een uitzondering heb gemaakt, heeft meer met mijn liefde voor katten te maken dan met zijn anti-semitisme. In de tweede plaats heb ik op geen enkele manier naar volledigheid gestreefd. Ook niet binnen mijn eigen voorkeuren. Ik hou van het werk van Émile Zola. Toch ontbreekt hij, en wel omdat ik niets over hem te vertellen heb. Een andere liefde, Jules Verne, schittert door afwezigheid omdat ik bezig ben zijn biografie te schrijven en mijn kruit niet voor het Jules Vernejaar 2005 wil verschieten. In de derde plaats zult u verhalen aantreffen, zoals die over het Venetiaanse avontuur van Alfred de Musset en George Sand, waarvan u zult zeggen, ja, maar dat verhaal ken ik natuurlijk. Dat is het soort verhaal dat je moet kennen wil je 'een Europees gesprek' kunnen voeren. 'Klopt,' zal mijn antwoord luiden, 'maar hoeveel mensen weten nog wat een Europees gesprek is?'

Wat ik probeer in dit boek is te laten zien dat in de Franse literatuur niets gewoon is. Dat alle pieken in dit hooggebergte hun volstrekt eigen krankzinnigheid hebben en in geen enkele traditie zijn te plaatsen. En dat de levens van de schrijvers die de Franse literatuur tot een meesterwerk hebben gemaakt als metaforen voor hun boeken zijn, even krankzinnig.

Het gaat mij om grote momenten uit de geschiedenis van de

Franse literatuur, maar niet alleen om de anekdote, want vanuit de anekdote word je rechtstreeks teruggeleid naar de literatuur. Toen Rimbaud en Verlaine elkaar ontmoetten, was het of er een bom ontplofte. Verlaines bestaan kwam meteen op losse schroeven te staan en de literaire wereld was in rep en roer. Maar – en zo komen we bij de literatuur terug – Rimbaud had op dat moment wel het manuscript van *Le Bateau ivre* in zijn koffertje. En door dat gedicht veranderde niet alleen de poëzie van Verlaine. In de levens van schrijvers als Charles Cros, Gustave Flaubert, Stéphane Mallarmé, Maurice Blanchard, Françoise Sagan en Georges Perec zijn soortgelijke ogenblikken aan te wijzen, middels mooie verhalen, die naar ik hoop voor u net zo boeiend zullen zijn om te lezen als ze voor mij waren om te schrijven.

Guus Luijters
Amsterdam/Schagerbrug, 20 januari 2004

Alles in het groot: Honoré de Balzac en Alexandre Dumas

Als het erom ging de dingen groot aan te pakken, deden Honoré de Balzac (1799-1850) en Alexandre Dumas (1802-1870) niet voor elkaar onder. Ze waren allebei groot, dik en zeer succesvol. Ze verdienden kapitalen en smeten met geld, zodat ze hun hele leven met enorme schulden te kampen hadden. Ze waren allebei dol op vrouwen. Naar eigen zeggen was Dumas aan het einde van zijn leven vader van zo'n vijfhonderd kinderen, en volgens Balzac was een man niet echt compleet als hij niet zeven vrouwen had: 'Een voor thuis en een voor het hart, een voor de hersenen, een voor het huishouden, een voor grillen en gekkigheid, een om te haten en een waar je achteraan zit, maar nooit te pakken krijgt.' De productie van beide schrijvers was gigantisch. Dumas schreef meestal zes, zeven romans tegelijk plus de nodige toneelstukken, terwijl hij niet iemand was die zijn correspondentie verwaarloosde. Afgezien van de brieven produceerde hij zo'n 4500 woorden per dag en dat 365 dagen per jaar, zo'n anderhalf miljoen woorden. Hij heeft 646 titels op zijn naam staan, waarin 4056 hoofdpersonen wonen, 8872 bijfiguren en 24.339 figuranten. Veel van zijn boeken zijn vergeten, maar je hoeft van je leven geen boek te hebben ingekeken om zijn meesterwerken te kennen, *Les Trois Mousquetaires* en *Le Comte de Monte-Cristo*, allebei in 1844 verschenen. In dat jaar schreef hij trouwens nog vijf boeken, waaronder *La Reine Margot*.

Alexandre Dumas door Étienne Carjat.

Is er ooit een vrolijker, onderhoudender, spannender, flitsender en geestiger boek geschreven dan het verhaal over de drie musketiers die eigenlijk met z'n vieren waren? Iedereen kent ze, Athos, Portos, Aramis en D'Artagnan en zelfs in deze door automobielen en televisietoestellen geregeerde tijd hoor je het nog wel eens door de straten schallen: 'Eén voor allen en allen voor één!' *De drie musketiers* is een boek dat ruim ander-

Alexandre Dumas door Victor Hugo.

halve eeuw later nog altijd sprankelt en fonkelt. Wie het oppakt is verloren en zal in een lange ruk meegesleept worden naar het verbluffende einde. Met *De graaf van Monte-Cristo*, het grote boek van de wraak, is het al niet anders. Wat een schrijver, Dumas.

Maar Balzac kon er ook wat van. Illustratief voor zijn werkkracht is het verhaal over het ontstaan van *L'Illustre Gaudissart*.

Een drukker had een te kleine letter gekozen en daardoor was een van de delen van *Scènes de la Vie de Province* tachtig pagina's te dun uitgevallen. Om het gat te vullen, schreef Balzac in een nacht de geschiedenis van Gaudissart, die veertienduizend woorden telde. Balzac, die gewoonlijk schreef van acht tot acht, haalde die nacht dus een gemiddelde van ruim drieëndertig woorden per minuut.

Een van de mooiste ogenblikken van zijn leven kwam toen hij het idee voor zijn *Comédie humaine* kreeg. Hij komt het huis van zijn zuster binnenstormen en roept: 'Hoeden af! Ik sta op het punt een genie te worden!' Hij heeft bedacht dat je personen uit het ene boek in een ander kunt laten terugkomen en dat er op die manier binnen een serie romans een heel eigen wereld zal ontstaan. Het eerste boek dat volgens deze gedachte werd geschreven is *Vader Goriot*, een roman, waarin alles wat Balzac zo aantrekkelijk maakt tezamen komt. Je treft er jeugdige helden, beeldschone courtisanes, akelige slechteriken, karikaturale bijfiguren en een ijzertsterk plot dat alles bij elkaar houdt. *Vader Goriot* is ook de roman waarin zijn grootste schepping, de onweerstaanbare schurk Eugène de Rastignac, zijn opwachting maakt. Toen ik na *Vader Goriot* aan de andere negentig, in twintig jaar geschreven, delen van *La Comédie humaine* begon, kwam ik al snel tot de ontdekking dat ik altijd op de verschijning van Rastignac zat te hopen. Balzac stelt in dezen zelden teleur.

Volgens Balzac was de hoeveelheid levenssap waarover een mens beschikt eindig en nam het af bij iedere handeling die hij verrichtte. Hij zal dus niet eens zo gek hebben opgekeken toen hij, nog maar net vijftig, ernstig ziek werd. Hij had altijd achttien uur per dag gewerkt, behalve geschreven moest er ook gecorrigeerd en ook de correspondentie eiste de nodige tijd op, en hij hield zich gaande met sloten sterke koffie. Koffie en werk werden prompt aangewezen als oorzaak van zijn ziekte. Hij kreeg last van zijn ademhaling, had geen eetlust meer en was voortdurend doodmoe. Hij gaf over of hij zeeziek was en dan had hij ook nog last van duizelingen en hallucinaties. 'Mijn

Daguerreotype van Honoré de Balzac, 1842.

hoofd woog miljoenen kilo's en negen uur lang kon ik het niet bewegen. Ik leed duizelingwekkende pijnen die ik alleen maar kan beschrijven door mijn hoofd te vergelijken met de koepel van de Sint-Pieter en de pijn met de geluiden die in de ruimte onder de koepel heen en weer echoën.'

Behalve met zijn ziekte had de patiënt ook nog eens te kampen met de behandeling. Op het moment van zijn ziekte bevond Balzac zich in Wierzchownia, in de nabijheid van zijn geliefde,

Eveline Hanska met wie hij op de valreep nog zou trouwen. Hij werd behandeld door een zekere dokter Knothe. Om een idee te geven van de geneesmethoden van deze heer is het nuttig enkele regels te citeren uit een brief waarin Balzac beschrijft wat de goede dokter zoal deed om Eveline van haar jicht te genezen: 'Om de dag steekt ze haar voeten in een vers opengesneden biggetje, want de ingewanden moeten nog bewegen. Ik hoef niet te vertellen hoe de varkentjes schreeuwen, ze beseffen niet hoe vereerd ze zouden moeten zijn...'

Half juni bereiken Balzac en zijn bruid Parijs. Zijn toestand gaat dan snel achteruit. Hij krijgt aderlatingen, wordt verdoofd, mag alleen nog koud voedsel in kleine porties eten, moet een bril dragen en mag niet meer praten, maar het helpt allemaal niets. Hij zwelt verschrikkelijk op en uit zijn lichaam komen bakken water te voorschijn.

Op 5 augustus 1850 dicteert hij zijn laatste brief. Dan begint hij te hallucineren. Hij vraagt dokter Horace Bianchon te roepen, de wonderdokter uit de *Comédie humaine* die zijn patiënten nog zo vaak voor de poorten van de hel weet weg te slepen.

Op 18 augustus is hij stervende. Victor Hugo haast zich naar hem toe. Op de gang al hoort hij 'een luid, luguber gereutel' en als hij de kamer binnenkomt ziet hij Balzac liggen. 'Zijn gelaat was violet, bijna zwart en hing enigszins schuin naar rechts, ongeschoren, het grijze haar kortgeknipt, de ogen open en starend. Uit het bed steeg een ondraaglijke stank op. Ik sloeg de dekens even terug en pakte Balzacs hand. Die was nat van het zweet. Ik drukte zijn hand. Hij reageerde niet.'

Balzac stierf in de loop van de nacht.

George Sand en Alfred de Musset: het Venetiaans avontuur

Alfred de Musset (1810-1857) was de verpersoonlijking van de romantische dichter. Zijn lange gedicht *Rolla* was razend populair, net als de roman *La Confession d'un enfant du siècle* en toneelstukken als *Il faut qu'une porte soit ouverte ou fermée.* Mussets romantiek doet nu wat ouderwets aan, met als gevolg dat hij buiten Frankrijk nauwelijks meer wordt gelezen. Toch heeft hij heel charmante verzen geschreven, zoals zijn 'Liedje' voor Suzon:

Liedje

Dag, Suzon, mijn vergeet-me-niet!
Ben jij nog steeds de schoonste schone?
Ik ben, zoals je me hier ziet,
Van een reis door Italië teruggekomen.
Het paradijs ben ik rondgegaan;
Ik heb verzen gemaakt, aan de liefde gedaan.
Maar jij vindt dat ik zeur? (Bis)
Ik kom langs je balkon;
Open je deur.
Dag, Suzon!

In het voorjaar van 1833, toen de liefdesdans van George Sand (1804-1876) en Musset aarzelend op gang kwam, wist nog vrij-

Alfred de Musset.

wel niemand dat Musset een groot dichter was. Als dandy en rokkenjager had hij al wel een reputatie. Zijn broer Paul schreef later: 'Luxe bezorgde hem een soort dronkenschap. Hij hield, als een kind, van de schittering van lichten, van kant, juwelen. Te dansen met een echte markiezin die echte diamanten droeg, in een grote zaal a giorno verlicht, leek hem het toppunt van geluk.' Zijn broer vertelt uiteraard niet het hele verhaal, want na de eerste dans moest er wel verder gedanst worden, liefst zo pervers mogelijk. Een van Mussets helden was Heliogabalus, beter bekend als keizer Marcus Aurelius Antonius, die bij voorkeur als vrouw gekleed ging en berucht was om zijn wreedheid en seksuele uitspattingen.

Een paar jaar voor Mussets dood deed Céleste Venard, een voormalige hoer, in haar *Adieu à la vie* een voorzichtig boekje over hem open. Zijn grootste plezier in het bordeel was de meisjes te veel te laten drinken en aan het huilen te maken, ze te beledigen en te slaan. Een anoniem gebleven prostituee heeft verteld hoe hij op een avond een bordeel in de rue Fontaine-Molière aandoet. Hij zoekt een meisje uit en ze gaan naar boven: 'Hij slaat haar met zijn wandelstok. Er wordt gevraagd waarom hij haar heeft geslagen. Hij antwoordt dat zij niet het meisje is dat hij heeft uitgezocht. De scène herhaalt zich met een tweede meisje. Dan steekt hij de gordijnen in brand en gaat ervandoor.' De uitgever Jules Hetzel heeft, in een brief aan George Sand, verteld hoe hij Musset op een morgen aantreft voor een bordeel in de rue Saint-Marc: 'Hij huilde. Hij had zich zo misdragen in het bordeel dat ze hem eruit hadden gegooid. Hij huilde als Adam aan de toegangspoort tot het aardse paradijs.'

In zijn laatste jaren was Musset een lichamelijk wrak dat functioneerde op een mix van bier, cognac en absint, de zogenaamde Mussetcocktail. Toch maakt Musset nog deel uit van de 'Société de débauche en participation', de 'Vereniging van losbandigheid in deelname'. De club was opgericht door drie mooie Russische prinsessen, de nichtjes Nesselrode, Kalerdjy en Seebach. Ze hadden zich alle drie onder de hoede van een 'beschermheer' geplaatst. Die van Nesselrode was Dumas fils, Musset zorgde voor Kalerdjy. Seebach, die ook bekendstond als Zébra, was zo'n geduchte dame dat voor haar 'een hele familieraad' nodig was. De taak van de beschermheren was hun pupillen te onderwijzen in de ontucht. In zijn *Mémoires* schrijft Horace de Viel-Castel, een oude vriend van Musset, over de relatie tussen Dumas fils en Fjodorovna Nesselrode: 'Hij vond in haar de volmaakt gehoorzame leerling. Met Sade in de hand, toonde hij haar de bekoring van de prostitutie. La Nesselrode ging de boulevard op om zich aan de voorbijgangers aan te bieden.'

Over de lessen die Musset aan prinses Kalerdjy gaf, bewaart hij een discreet stilzwijgen. De lessen zullen puur theoretisch van aard zijn geweest. Volgens Louise Colet, zijn laatste minnares, was Musset volstrekt impotent. Op een morgen had zij het initiatief genomen, maar het was niets geworden. Later op de dag probeert hij het nog een keer in het rijtuig waarmee ze door het Bois de Boulogne toeren. Colet interpreteert zijn avances als een poging haar te verkrachten en springt uit het rijtuig. Een paar weken later, in september 1852, lopen ze samen over de place de la Concorde. Louise toont zich bezorgd over zijn slechte gezondheid, waarop Musset zegt: 'Als ik zin heb gaat het heel goed met me, vanmorgen nog heb ik twee keer een punt gezet. Als het niet lukt, komt dat omdat de vrouw in kwestie me nergens toe inspireert.' Deze belediging betekent het einde van hun verhouding. Louise Colet keert terug naar Flaubert, die op het punt staat aan het tweede deel van *Madame Bovary* te beginnen. De beroemde scène waarin Emma Bovary en Léon Dupuis in een geblindeerd rijtuig hun eindeloze rondjes door Rouaan rijden lijkt zich aan te kondigen.

In zijn jonge jaren had Musset ook zo zijn seksuele problemen. Op een avond kondigt hij aan dat hij zin heeft 'een hoer te naaien in een kring van vijfentwintig brandende kaarsen'. Het gezelschap, onder wie Eugène Delacroix, Viel-Castel en Prosper Merimée, die de anekdote heeft opgeschreven, begeeft zich naar Leriche, een bekende hoerenkast. Maar eenmaal in het

George Sand, getekend door Alfred de Musset.

bordeel begon Musset 'uit zijn neus te bloeden' zoals Merimée het omschrijft. Hij wil onder zijn belofte uit, maar er is geen weg terug en luidkeels toegejuicht door zijn vrienden begeeft hij zich in de kaarsenkring. Twee hoeren doen er alles aan, maar Musset faalt. Hij was toen twintig. In een brief aan een vriend beschrijft hij hoe zijn dagen eruitzien: 'Ik breng mijn leven door met een half dozijn schilders; aardige jongens die schilders! Ik schrijf over kleine theaters (nog steeds voor de *Temps*), ik rijmel er vrolijk op los, ik neuk omdat ik niets beters heb te doen, en ik rook en drink met wellust – zo zit dat!' De verzen die Musset publiceert hebben een libertijns ('Suzon') of ronduit pornografisch karakter ('Gamiani ou Deux Nuits d'excès', dat onder de toonbank verkocht wordt) en het is nauwelijks verwonderlijk dat George Sand, die enkele maanden eerder beroemd is geworden met de roman *Indiana*, als de criticus Sainte-Beuve haar aan Musset wil voorstellen de boot probeert af te houden: 'O ja, nu ik er nog eens over nagedacht heb, wil ik niet dat u Musset meeneemt. Het is een erge dandy, we zouden niet bij elkaar passen,' schrijft ze hem op 10 maart 1833 (de vertaling van de fragmenten uit de brieven van Sand en Musset is van W. Scheltens).

Maar Sand en Musset kunnen elkaar niet ontlopen, een ontmoeting is onvermijdelijk. Hij vindt plaats op 19 juni 1833 tijdens een diner van de *Revue des deux Mondes*, waarvan ze allebei medewerker zijn. Meteen na die eerste ontmoeting worden er brieven uitgewisseld en nog geen week later, op 24 juni, stuurt Musset een lang gedicht waarin hij de lof zingt van *Indiana*. Per kerende post schrijft een gevleide Sand terug: 'Toen ik de eer had u te ontmoeten, heb ik u niet durven uitnodigen om bij mij te komen. Ik ben nog steeds bang dat de plechtstatigheid van mijn interieur u schrik aanjaagt en verveelt. Als u evenwel op een dag dat u moe bent en walgt van het actieve leven in de verleiding mocht komen de cel van een kluizenares te betreden, dan zou u daar dankbaar en hartelijk ontvangen worden.'

Begin juli plaatst Sand opnieuw een invitatie, deze keer aan de Italiaanse dichter Alessandro Poerio, die 'graag van dichtbij wil zien wat hem van verre bevallen is'. Sand schrijft: 'Aangezien ik in mijn hoedanigheid van verveelde vrouw nogal houd van wat mijn nieuwsgierigheid prikkelt, zal ik u maandagavond om negen uur ontvangen. Maar op één voorwaarde: als ik u niet beval, moet u mij dat zeggen als u weggaat, en als u mij niet bevalt, moet u mij toestaan dat ik u dat eveneens zeg opdat wij ons tegenover elkaar niet geremd voelen in de toekomst.'

Of Musset van deze affaire van een nacht heeft geweten, is onbekend, maar dat de kluizenares een paar weken eerder nog een korte en rampzalig verlopen affaire met Merimée had gehad, kan hem niet zijn ontgaan. Volgens Alexandre Dumas, die kort tevoren Sand zelf enige tijd het hof had gemaakt, zei Sand na haar nacht met Merimée: 'Gisteren heb ik Merimée gehad. Dat stelde weinig voor.' Deze al dan niet gemaakte opmerking leidde tot een enorme rel. Er kwam zelfs een duel van. Musset bemoeide zich nergens mee, maar amuseerde zich kostelijk.

Musset wist dus dat hij Sands kluizenaresschap met een korreltje zout kon nemen. Hij blijft haar schrijven. Ze maken een afspraak en op 25 juli 1831 schrijft hij haar: 'Beste George, ik moet u iets doms en belachelijks zeggen. Ik schrijf het u als een dwaas omdat ik het – ik weet niet waarom – niet tegen u gezegd heb toen we terugkwamen van die wandeling. Ik zal er erge spijt van hebben vanavond. U zult me in mijn gezicht uitlachen, me uitmaken voor een praatjesmaker in al mijn contacten met u tot nu toe. U zult me de deur uit zetten en u zult denken dat ik lieg. Ik ben verliefd op u. Dat ben ik vanaf de eerste dag dat ik bij u was.'

Omdat zijn liefdesverklaring niet meteen het beoogde resultaat heeft, gooit Musset het twee dagen later over een andere boeg. In zijn verbijsterende brief van 27 juli schrijft hij: 'Ik kan een schurftige hoer die straalbezopen is omhelzen, maar mijn moeder kan ik niet omhelzen. Bemint u de mensen die weten te beminnen, ik kan alleen lijden. Er zijn dagen waarop ik mezelf zou kunnen doden; maar ik huil; waarop ik in lachen uitbarst, vandaag niet bijvoorbeeld. Dag George, ik houd van u als een kind.'

In de sleutelroman *Elle et lui*, die Sand kort na de dood van Musset aan hun romance zal wijden, staat in de bewuste brief: 'Vaarwel Thérèse, u houdt niet van me en ik houd als een kind van u!' Thérèses (Sands) reactie wordt dan als volgt beschreven: 'Die twee regels deden Thérèse over haar hele lichaam beven. De enige hartstocht die zij nooit gepoogd had in haar hart te doven was de moederliefde.'

De verhouding tussen Sand en Musset neemt hier zijn beslissende wending. Zij zal zijn minnares zijn, maar tegelijkertijd zijn moeder. Hij zal haar minnaar zijn, maar tegelijkertijd haar kind. Het incestueuze karakter van hun verhouding wordt nog eens extra gecompliceerd doordat het voor de feminiene Musset niet moeilijk is om in de vaak in mannenkleren gestoken Sand een vader te zien. Maxime Du Camp nam hierover in zijn *Mémoires* geen blad voor de mond: 'George Sand was de man en Musset was de vrouw en wat voor een vrouw! Een nerveuze, eigenzinnige, wispelturige vrouw die haar grillen volgde, overal misbruik van maakte en vooral van andermans geduld.'

Op 28 juli spreekt Musset George voor het eerst, maar zeker niet voor het laatst als Georges aan, als man dus: 'Ik geloof, beste Georges, dat iedereen gek is vanochtend; u die om vier uur naar bed gaat, schrijft mij om acht uur; ik die om zeven uur naar bed ga, zat helemaal klaar wakker in mijn bed, toen uw brief kwam.' Een man die zich opstelt als de dochter van een vrouw in wie hij een vader ziet, en met wie hij een seksuele relatie onderhoudt; een vrouw in travestie die haar minnaar als haar kind beschouwt. Het is duizelingwekkend en nauwelijks verwonderlijk dat we honderdzeventig jaar later nog steeds niet over dit verbazingwekkende tweetal zijn uitgepraat.

Hun verhouding begint in de nacht van 29 juli. Maar op 3 augustus schrijft Sand nog een keer aan Alessandro Poerio: 'Wat is er toch van u geworden, meneer, en waarom zie ik u niet

1 121

J'en étais bien sûre que ces reproches-là
viendraient dès le lendemain du bonheur
rêvé et promis, et que tu me ferais un
crime de ce que tu avais accepté comme
un droit. En sommes-nous déjà là, mon Dieu!
eh bien, n'allons pas plus loin, laisse-moi
partir. Je le voulais hier, c'était un éternel
adieu résolu dans mon esprit. Rappelle-toi
ton désespoir et tout ce que tu as dit pour me
faire croire que je t'étais nécessaire, que sans
moi tu étais perdu. Et encore une fois, j'ai
été assez folle pour vouloir te sauver, mais
tu es plus perdu qu'auparavant puisque à
peine satisfait, c'est contre moi que tu
tournes ton désespoir et ta colère. Que faire,
mon Dieu! ah! que j'en ai assez de la vie,
mon Dieu! qu'est-ce que tu veux à présent,
mon Dieu! qu'est-ce que tu me demandes? ces questions
qu'est-ce que tu me demandes? ces questions,
des soupçons, des récriminations déjà, déjà!
Eh pourquoi me parles-tu de Pierre, quand je
t'avais défendu de m'en parler jamais? De
quel droit d'ailleurs m'interroges-tu sur
Venise! étais-je à toi, à Venise? Dès le
premier jour, quand tu m'as vue malade
n'as-tu pas pris de l'humeur en disant que
c'était bien triste et bien ennuyeux, une
femme malade? et n'est-ce pas du premier
jour que date notre rupture? mon enfant,
moi, je ne veux pas récriminer, mais il
faut bien que tu t'en souviennes, toi qui
oublies si aisément les faits. Je ne veux pas dire tes
torts, jamais je ne t'ai dit seulement ce
mot-là, jamais je ne me suis plainte d'avoir
été enlevée à mes enfants, à mes amis, à
mon travail, à mes affections et à mes devoirs

Brief van Alfred de Musset aan George Sand.

meer? Beviel ik u niet of heb ik u verveeld? Dat is best mogelijk, maar omdat ik er anders over denk, protesteer ik tegen het feit dat u mij verwaarloost.'

De brief is de volmaakte inleiding op de dingen die komen gaan.

Vooralsnog is alles rozengeur. De geliefden ontvluchten de hitte van Parijs en brengen een idyllische week door in Fontainebleau. Op 11 augustus keren ze terug naar de stad. Op de vijftiende verschijnt *Rolla*, en op slag is Musset net zo beroemd als Sand. Paul de Musset vertelt dat Musset een paar dagen na het verschijnen van zijn gedicht naar de Opéra ging. Toen hij op de trappen naar de ingang zijn sigaar weggooide, zag hij hoe een jongeman de peuk opraapte en zorgvuldig in een stuk papier wikkelde, als was het een relikwie.

Sand en Musset, alle twee jong, alle twee beroemd en alle twee verliefd. Françoise Sagan heeft in haar uitgave van de *Lettres d'amour* van Sand en Musset een amusant beeld geschetst hoe het liefdespaar onder huidige omstandigheden dag en nacht achtervolgd zou worden door journalisten en fotografen. In 1833 is het zover nog niet, maar overal waar ze gaan, wordt het paar herkend en natuurlijk zijn ze het gesprek van de dag. Ze lijken volstrekt gelukkig. Omdat er geld nodig is, schrijft Sand als een bezetene. Musset speelt met haar twee kinderen, schrijft verzen en aquarelleert. Ze ontvangen vrienden, ze gaan uit en smeden plannen om naar Italië te gaan.

Op 12 december is het zover. Met de postkoets reizen ze naar Lyon. Vandaar met een bootje de Rhône af en vervolgens met het stoomschip Sully van Marseille naar Genua. Zodra ze aan wal zijn, krijgt Sand koorts. In Pisa aarzelen ze. Naar Rome of naar Venetië? Ze gooien kruis of munt en tien keer achter elkaar wijst het lot Venetië aan. Eenmaal in Venetië krijgt Sand dysenterie. Ze moet het bed houden, maar omdat er geld nodig is, blijft ze schrijven. Musset kijkt het aan. Hij verveelt zich. Eind oktober 1834, in een van haar laatste brieven aan Musset, schrijft Sand: 'Ben jij niet vanaf de eerste dag, toen je zag dat ik ziek was, humeurig geworden en heb je niet tegen mij gezegd dat een zieke vrouw erg triest en erg vervelend was? En dateert onze breuk niet van die eerste dag?'

Musset stortte zich in het nachtleven van Venetië. Hij speelde en verloor enorme bedragen, hij dronk, ging naar de hoeren en zocht beroemde courtisanes op. Hij vertelde de zieke Sand dat hij waarschijnlijk een geslachtsziekte had opgelopen.

Als Sand eind januari weer aan de beterende hand is, wordt Musset ziek. Hij heeft koorts en valt ten prooi aan verschrikkelijke hallucinaties. Het ziet ernaar uit dat hij doodgaat en als hij niet doodgaat zou hij wel eens krankzinnig kunnen worden. Sand roept de hulp in van Pietro Pagello, de jonge arts die haar eerder een aderlating heeft gegeven. Sand en Pagello waken samen bij de zieke Musset en dan gebeurt het onvermijdelijke.

Het gaat iets beter met Musset en hij vraagt of het tweetal hem alleen kan laten. Sand en Pagello trekken zich terug. Pagello vraagt haar of ze van plan is een roman over het mooie Venetië te schrijven. 'Misschien,' zegt Sand. Ze pakt een vel papier en begint te schrijven. Als ze klaar is, vouwt ze het vel papier dicht en geeft het aan Pagello. 'Voor jou,' zegt ze. Pagello vraagt aan wie hij de brief moet geven. 'Aan de stomme Pagello,' schrijft Sand op de brief, die begint met de mysterieuze woorden 'En Moré', wat waarschijnlijk staat voor 'enamourée', oftewel 'verliefd'. 'Geboren onder verschillende hemels, hebben wij dezelfde gedachten noch dezelfde taal; hebben wij tenminste dezelfde inborst,' schrijft Sand, om vervolgens snel ter zake te komen. 'Het zoele en nevelachtige klimaat waar ik vandaan kom, hebben mij milde en melancholieke indrukken gelaten: welke hartstochten heeft de overvloedige zon die jouw voorhoofd gebruind heeft, jou gegeven? Ik kan liefhebben en lijden, en jij, hoe heb jij lief? Jouw vurige blikken, je heftige omhelzing, je drieste verlangens lokken mij aan en maken me bang. Ik kan jouw hartstocht bestrijden noch delen. In mijn land bemint men niet zo; naast jou ben ik een bleek standbeeld, ik kijk naar je met verbazing, met verlangen, met ongerustheid. (...)

Zal ik je metgezellin of je slavin zijn? Begeer je mij of houd je van me?'

Het ogenblik van wraak is door Sand meesterlijk gekozen. Musset is buiten levensgevaar, maar nog niet tot handelen in staat. Aan zijn ziekbed gekluisterd moet hij toezien hoe zich onder zijn ogen een romance voltrekt, hoe zijn geliefde hem, de grote verleider, genadeloos de horens op zet en een onnozel doktertje verkiest boven hem, de beroemde schrijver, de grote dichter. Musset hoort ze met elkaar fluisteren, hoort ze met elkaar lachen, ziet hoelang ze erover doen afscheid van elkaar te nemen, en hij is machteloos. Het hoogtepunt van zijn vernederingen komt met de beroemde scène met het theekopje. Alvorens uit eten te gaan, hebben Sand en Pagello thee gedronken. Musset vertrouwt het niet en als het tweetal is vertrokken, slaagt hij er met veel moeite in overeind te komen. Er staat maar één theekop op tafel. 'Het meisje zal de andere kop hebben afgeruimd,' zegt Sand tegen hem als hij haar ondervraagt. 'Nee,' zegt Musset, 'jullie hebben uit één kop gedronken.' Vanaf dat moment weet hij het zeker, Sand en Pagello zijn minnaars. Zodra hij op de been is zal George hem en Venetië verlaten en terugkeren naar Parijs.

Maar de geschiedenis is nog niet afgelopen. 'Musset,' schrijft Françoise Sagan, 'is, zoals veel kunstenaars, geen man: het is een kind, een kind wie je zijn speeltjes niet moet afpakken.' En dat zal hij Sand laten zien. Hij blijft dus om haar heen cirkelen en haar met zijn liefde bestoken. Op 13 oktober schrijft hij haar een prachtige brief: 'Liefste, ik ben hier. Je hebt me een erg sombere brief geschreven, mijn arme engel, en ik ben ook erg somber aangekomen. Jij vindt het goed dat we elkaar zien, en of ik het wil! (...) Laten we elkaar zien, lieve schat, en je zult alle vertrouwen in mij krijgen, en je zult weten hoezeer ik jou toebehoor, met lichaam en ziel, je zult zien dat er voor mij verdriet noch verlangen meer bestaat zodra het om jou gaat. Heb vertrouwen in mij, George, God weet dat ik je nooit kwaad zal doen. Ontvang mij, laten we samen huilen of lachen, laten we het over het verleden of de toekomst hebben, over de dood of het leven, over de hoop of het verdriet; ik ben niets meer dan wat jij van mij zult maken. Ken je de woorden van Ruth tot Naomi in de bijbel? Ik kan je niets anders zeggen.' Een paar dagen later geeft Sand toe. Ze worden weer minnaars, maar vrijwel meteen beginnen de onaangenaamheden die zullen duren tot hun definitieve breuk in maart 1835.

Het laatste woord was aan George Sand: 'Rustig aan... rustig aan! rustig aan! Wat voor spelletje spelen we? Wat hebben we al die maanden gedaan met al dat blauwe en witte papier dat heen en weer rende tussen Venetië en Parijs en Venetië, het papier dat ons bij elkaar bracht, jouw lichaam en het mijne, jouw mond en de mijne, jouw haren en de mijne, zoals je wilde hebben, die woorden die ze weer ontknoopten en van elkaar scheidden? Al dat papier! Al dat papier! Gaan we ons hele leven op papier leven? Jij ja, Alfred, jij bent daar voor gemaakt, ik niet, ik ben een vrouw.'

George Sand zou Musset vergeten. En op Mallorca beleefde ze met Chopin een romance die voor het Venetiaanse avontuur niet onderdeed.

Alfred de Musset zou nooit meer iemand liefhebben.

Félix Nadar en zijn reuzenballon

Félix Nadar (1820-1910) heeft talloze boeken op zijn naam staan. De meeste zijn bundelingen van her en der gepubliceerde artikelen. Ze zijn zonder uitzondering vergeten. De boeken die Nadar als boek schreef, worden nog altijd gelezen. *Charles Baudelaire intime* is in Frankrijk altijd in druk, net als *Quand j'étais photographe.*

Het boek *Toen ik fotograaf was* is net zo wonderlijk als zijn auteur. Nadar was zo'n man die niets kon, maar alles deed. Hij kon niet tekenen, maar hij werd een beroemd karikaturist. Hij kon niet schrijven, maar was een bekend schrijver. Van zijn foto's was hij niet onder de indruk, maar hij maakte de beroemdste foto's van beroemde tijdgenoten zoals Alexandre Dumas, Charles Baudelaire, Théophile Gautier, Gérard de Nerval, Sarah Bernhardt en Édouard Manet. Een van de weinigen die zich niet door hem wilden laten portretteren was Honoré de Balzac. Balzac huldigde de theorie dat het lichaam uit een reeks over elkaar heen liggende flinterdunne vliesjes bestond. Als je een foto van jezelf liet maken, werd een van die vliesjes volgens hem weggezogen en zo raakte je een deel van je wezen kwijt.

Was Balzacs angst echt of aanstellerij? 'Als hij echt was,' schrijft Nadar, 'zou Balzac daar alleen maar zijn voordeel mee hebben gedaan; de omvang van zijn buik en andere lichaamsdelen stelden hem immers in staat om uiterst kwistig te zijn met het afstoten van "vluchtige omhulsels".'

Felix Nadar in een luchtballon, studio-opname.

Nadar had, zoals hij schrijft 'geen enkele gave om ingenieur te worden, ik kon er nooit toe komen me op logaritmen toe te leggen, ik verzet me van nature tegen A + B en mij is altijd verweten dat ik niet kan rekenen.' Toch bemoeide hij zich intensief met een van de grote technische vraagstukken van zijn tijd, de luchtvaart. Nadar had het in zijn kop gekregen om de fotografie in dienst te stellen van de topografie. Vanuit een ballon zou hij luchtfoto's maken en die zouden gebruikt kunnen worden bij landmeting. Toen het hem na eindeloze inspanningen eindelijk was gelukt een aantal luchtfoto's te maken, kreeg hij te horen dat de toepasssing ervan bij het kadastreren onmogelijk was.

Na enkele tochten met een luchtballon kwam Nadar tot een opmerkelijke conclusie. De geleerden die de toekomst van de luchtvaart in de luchtballon zagen, vergisten zich. 'Een bestuurbare luchtballon,' stelde hij, 'is een drogbeeld.' Jules Verne voegde daaraan toe: 'Het gaat er niet om door de lucht te zweven, maar om door de lucht te reizen. Laten we als devies het devies nemen van Nadar! En lang leve de *hélicoptère*!' Om bestuurbaar te zijn, moest een luchtschip niet lichter, maar juist zwaarder dan de lucht zijn.

Nadar richtte de Vereniging ter bevordering van de voortbeweging in de lucht door middel van uitsluitend ZWAARDER DAN LUCHT-toestellen op. Secretaris werd Jules Verne, die in *De la terre à la lune* eer bewees aan Nadar door de held van het verhaal Ardan te noemen. In een oogwenk telde de Vereniging zeshonderd leden en iedere vrijdagavond waren er bijeenkomsten waar plannen gesmeed en theorieën ontvouwd werden. 'Maar,' schrijft Nadar, 'aan bespreken alleen hadden we niets; er moesten proeven worden gedaan bij deze wetenschap waarvan de afzonderlijke elementen tot een totaal nieuw geheel moesten worden verbonden. Er was geld nodig, veel geld. Waar moesten we dat geld vandaan halen?'

Nadars oplossing laat zien hoe wonderbaarlijk deze man was, want hij liet een reuzenballon bouwen, waarmee hij in de Europese hoofdsteden demonstratievluchten ging maken. De ballon, die de *Géant* werd gedoopt, was twaalf keer zo groot als een normale luchtballon. Hij was zesenveertig meter hoog en had een inhoud van zesduizend kubieke meter en de gondel, die twee verdiepingen telde, kon vierentachtig passagiers vervoeren. Toen de ballon de eerste keer van het Champ-de-Mars de lucht in ging, op 4 oktober 1864, waren er tweehonderdduizend mensen toegestroomd, waaruit blijkt dat Nadars idee uiterst paradoxaal was, maar wel geld opleverde.

Al moeten we de inkomsten ook weer niet overschatten. Op 11 september 1865 waren Nadar en zijn *Géant* in Amsterdam, waar ze om vijf uur zouden opstijgen van 'het weiland buiten de Utrechtsche Poort, achter de gazfabriek'. De prijzen van de entreebiljetten, verkrijgbaar 'in het Paleis voor Volksvlijt en bij de voornaamste Boekverkoopers en Winkeliers in de Hoofdstraten', bedroegen *f* 1,99 voor een eerste rang, *f* 0,99 voor een tweede, *f* 0,49 voor een derde en *f* 5 voor een gereserveerde plaats. Maar het waaide veel te hard die 11e september 1865. 'De kracht van den wind,' zei Nadar de volgende dag in het *Handelsblad*, 'op het groote zeil van een schip wordt geschat op 400 paardenkrachten: men make hieruit op, wat er zou geworden zijn van de *Géant* met zijne hoogte van 45 el onder de handen van de 250 man, die hem moesten in bedwang houden, en men stelle zich de ernstige ongevallen voor, die daaruit konden geboren worden. Het staat mij vrij om mij zelven aan gevaren bloot te stellen, maar daar ik het gevaar ken, mag ik anderen op mijne verantwoordelijkheid daaraan niet wagen.' Nadar nam zijn verlies, hij hield de loketten dicht en wie al een kaartje had kreeg zijn geld terug.

Maar op 14 september kon een deel van de verliezen worden goedgemaakt: ten aanschouwen van een 'ontzettende volksmenigte welke op de been was' ging de *Géant* alsnog de lucht in. Het *Handelsblad* schreef de volgende dag: 'Het Lâchez-tout! weerklonk; een oogenblik scheen het dat de ballon te zeer gehecht was aan het aardsche om naar hoogere spheren te zweven; veel ballast werd uitgeworpen; er kwam beweging in het gevaarte; langzaam steeg het op en dreef in zuidwestelijke rigting weg. Nog eenigen tijd bleven de duizenden en duizenden toeschouwers den ballon nastaren, die niettegenstaande de hand over hand toenemende sternis vrij lang aan den wolkenloozen hemel zigtbaar bleef, en ten 8 ure in de Haarlemmermeer, naar wij gelooven in den omtrek van Bennebroek, nederdaalde.'

Tijdens de tournee werd Nadars gelijk wat betreft de onbestuurbaarheid van luchtballonnen overduidelijk bewezen.

Nadat de *Géant* voor de tweede keer van het Champ-de-Mars in Parijs was opgestegen, stortte hij de volgende morgen in de buurt van Hannover neer. In een halfuur tijd werd de gondel dertig kilometer over de grond meegesleurd. 'Dat is pas een echte aframmeling,' merkt Nadar droogjes op.

Mijn *Larousse illustré*, die van ver voor 1940 is, zegt bij luchtvaart: 'Eendekker of dubbeldekker, vliegtuigen hebben het probleem van het zwaarder dan de lucht opgelost.' Nadar heeft het nog net meegemaakt.

De wonderfrieten van Charles Baudelaire

Het is maandag 26 september 1864 zes uur in de morgen als in Brussel een jongeman het Zuid-station uit komt. Hij begeeft zich rechtstreeks naar zijn hotel, dat hij niet veel later weer verlaat. Voor een sou koopt hij vervolgens een pistolet met ham, die hij zich uitstekend laat smaken, net als het glas 'faro', het bier dat hij erbij drinkt. Na dit eenvoudige ontbijt spoedt hij zich naar het Hôtel des Étrangers, waar zijn werkgever hem verwacht. De uit Parijs afkomstige jongeman is Georges Barral, sinds kort een van de vier secretarissen van de op 6 juli 1863 door Félix Nadar opgerichte Vereniging ter bevordering van voortbeweging in de lucht door middel van uitsluitend zwaarder-dan-luchttoestellen.

Om tien uur begeeft Barral zich in opdracht van Nadar naar het Hôtel du Grand Miroir om daar Charles Baudelaire (1821-1867) op te halen in verband met de vlucht van de *Géant* die middag. Barral is nerveus. Nadar heeft hem gewaarschuwd: Baudelaire is gecompliceerd en afstandelijk en daar komt bij, Barral kent het werk van Baudelaire niet alleen, maar hij is er zo van onder de indruk dat hij hele verzen uit zijn hoofd kent. Zoals bekend hebben bewonderaars het er altijd moeilijk mee hun idool te ontmoeten en heel even lijkt het erop dat Barrals ergste nachtmerries waar zullen worden. Daar zit Baudelaire en natuurlijk vangt zijn respect afdwingende gestalte net een zonnestraal als hij zegt: 'Dat valt alweer mee, ik zit hier al een uur te

Charles Baudelaire gefotografeerd door Nadar, 1855.

wachten!' Als ze eenmaal op straat zijn is het ijs al snel gebroken. Omdat de weg nogal helt, leunt Baudelaire op de arm van zijn jeugdige begeleider en dan begint hij hem te ondervragen. Waar komt hij vandaan? Wat doet hij voor de kost? Barral vertelt dat hij is geboren in de rue de Grenelle, waarop Baudelaire zegt dat hij ook uit het Quartier latin komt, dat hij geboren is in de

Zelfportret van Charles Baudelaire.

rue Hautefeuille, op nummer 13, ongeluksgetal, dat hem geen geluk heeft gebracht. 'O,' zegt Baudelaire, 'wat ben ik blij eindelijk een Franse Fransman te ontmoeten, een Parijzenaar uit Parijs, een echte landgenoot. Ik ben zo alleen, zo verlaten, sinds ik hier vijf maanden geleden schipbreuk heb geleden in dit woestijn-achtige Brussel, dat zonder begrip is en vol haat.'

Nadar heeft Barral opgedragen met Baudelaire te gaan lunchen en hij brengt de dichter naar het Taverne du Globe, waar ze plaatsnemen op het terras. Baudelaire is de gast van Barral, maar de verhoudingen zijn inmiddels allang duidelijk: Baudelaire gedraagt zich als een vader en Barral laat zich maar al te graag in de rol van de zoon dringen. Baudelaire bestelt en Barral bewaart de rekening: 'Pain et service 0,50 Deux beefsteaks aux pommes 2,50 Deux gruyères et beurre 1,15 Deux cafés 1,00 Deux cognacs 0,80 Pommard vieux 3,00 Total 8,95.' Na de lunch begeven de mannen zich naar de plek waar de *Géant* moet opstijgen. Koning Leopold heeft een gesprek met Nadar, dat door Barral uitvoerig genoteerd is, maar waarin merkwaardig genoeg de beroemdste zinsnede ontbreekt: 'U bent republikein, meneer Nadar?' 'Jazeker sire. En u?' 'O, meneer Nadar, mijn beroep maakt me dat onmogelijk.'

Charles Baudelaire, getekend door Nadar.

Dan klinkt het 'Lâchez tout!' en de *Géant* komt los van de grond, maar Baudelaire is niet aan boord. Wel heeft hij de volgende dag een afspraak met Georges Barral gemaakt. Ze gebruiken een uitgebreide lunch in het hotel van Baudelaire. Allerlei onderwerpen komen ter tafel en je ziet de vriendschap tussen de twee mannen groeien. Het voorlopig hoogtepunt komt als Baudelaire de kooi laat brengen waarin hij een vleermuis houdt die hij een paar dagen eerder op straat heeft gevonden. De derde dag gaan ze samen naar Waterloo. Nadar vindt het maar vreemd. In Parijs ging Baudelaire de stad nooit uit en nu helemaal naar Waterloo! Maar Baudelaire is behoorlijk tevreden over het Belgische landschap en na een treinreis en een rit per koets bereiken ze het Hôtel des Colonnes in Mont-Saint-Jean. Hugo heeft hier enige tijd gelogeerd en aan de lunch bestelt Baudelaire dan ook 'le menu habituel de M. Victor Hugo! Et faites-nous-en la surprise en nous servant!' Baudelaire en Barral bevinden zich op het midden van hun derde dag, precies op de helft van de tijd die ze samen zullen doorbrengen, en beter zal het niet meer worden. Baudelaire maakt grapjes ('Wilt u dat water weghalen, de aanblik alleen al maakt me ziek') en Barrals beschrijving van de frieten die ze voorgezet krijgen, is meer dan uitbundig. Ze zijn goudgeel, knapperig, maar veerkrachtig, een meesterwerk op frietgebied. De chef wordt gecomplimenteerd en hij vertelt dat de zonen van Hugo hem hebben geleerd de frieten zo te bakken 'in de olijfolie of de reuzel en niet in het infame rundervet of het wolvet van een schaap, zoals veel van mijn landgenoten uit onwetendheid of zuinigheid wel doen'. En hup, daar komt nog zo'n schaal met wonderfrieten en weer vallen de mannen aan, met de vingers, geheel zoals het hoort. Daarna nemen ze nog een stevig stuk gruyère, want, zo zegt Baudelaire: 'het is de moeder van de frieten'. Aan het einde van hun vierde dag samen belanden Baudelaire en Barral met onder anderen Nadar en Dumas fils in een hoerenkast. Als de anderen naar boven zijn, blijven Barral en Baudelaire achter en Baudelaire zegt: 'In de dagelijkse dingen van het leven behoudt de mens zijn vrije wil. Hij wordt nooit gedwongen om als de anderen te doen.' Baudelaire blijft nog lang op deze toon op zijn tijdelijke zoon inpraten en Barral heeft als hij die avond naar bed gaat het gevoel dat Baudelaire hem 'voor altijd voor bedenkelijke compromissen en schandelijke verhoudingen heeft behoed'.

Een dag later nemen Baudelaire en Barral afscheid. Voor altijd. Wat er verder met Georges Barral is gebeurd, weet ik niet, maar ik zou het graag willen weten.

Gustave Flaubert en de kleine prinses

Op 10 februari 1851 bevindt Gustave Flaubert (1821-1880) zich in Patras op de Peloponnesos. Hij schrijft die dag een brief aan zijn vriend Louis de Bouilhet, het is een ode aan de tieten:

Want er zijn, meneer, zoveel verschillende soorten tieten. Je hebt tieten als appels en tieten als peren, geile tieten, preutse tieten en wat hebben we nog meer? Je hebt tieten die voor koetsiers zijn geschapen, volle en rondborstige tieten die je te voorschijn haalt uit een keurslijf, waarin ze zich vurig staande houden, speels en niet voor een kleintje vervaard. Je hebt de tieten van de boulevard, verveeld, lusteloos en lauw, tieten die bij kaarslicht worden getoond, die vanuit het zwart van het satijn opkomen en snel ondergaan. Je hebt de tieten in het derde kwartier, die je ziet in het schijnsel van de kroonluchters langs de balkons van de theaterloges, blanke tieten waarvan de welvingen even buitensporig lijken als de begeerte die ze je bezorgen. Die ruiken lekker, verwarmen de wangen en doen het hart kloppen. In de schittering van hun huid glanst de trots, ze zijn rijk en ze schijnen minachtend tegen je te zeggen: ‘Ruk je af, oude smeerlap, ruk je af, ruk je af.’ Dan heb je nog tieten als uiers, gepunt, losbandig en gemeen, in de vorm van een kalebas die in de tuin wordt gebruikt om zaad in te bewaren, smal waar ze beginnen, langgerekt en zwaar aan het uiteinde. Je hebt de opgedroogde tieten van de negerin, die

Gustave Flaubert.

hangen als een zak, droog en leeg als de woestijn. Je hebt de tieten van het meisje dat net uit de provincie komt, appelen noch peren, maar lief, gemaakt om begeerte op te roepen en precies zoals tieten horen te zijn. En ten slotte heb je de tieten als meloenen, reusachtige en schunnige tieten, die je zin geven erop te schijten. Dat zijn die tieten waar een man zin in heeft als hij tegen de hoerenmadam zegt: 'Geef me een meid met grote tieten.' Dat zijn de tieten voor een varken zoals ik, zoals wij, durf ik te zeggen.

Wie Flaubert alleen kent als de schrijver van *Madame Bovary*, een roman waarin geen onvertogen woord voorkomt, zal misschien opkijken van zijn ode aan de tieten. Maar Flaubert was iemand die geen blad voor de mond nam. Zo schreef hij als voorbereiding van *Madame Bovary* een aantal *scénarios*, opzetjes voor de roman, waarin het gedrag van de helden uit het boek onverhuld beschreven staat. Zo lezen we dat Emma Bovary 'als een hoer gekleed' was toen ze Rodolphe ontmoette. En dat ze toen ze gingen paardrijden in het bos en waren afgestegen 'Rodolphe haar met zijn ene hand bij haar kont en met zijn andere bij haar middel pakte' en dat zij zich geheel aan hem overgaf. Later zal hij haar 'behandelen als een hoer en sufneuken. Nog één voorbeeld. Léon, die Rodolphe opvolgt als minnaar van Emma, maakt haar een handschoen afhandig en in zijn scénarios laat Flaubert ons weten dat hij die handschoen aantrekt als hij zich aftrekt en dat hij als hij gaat slapen de handschoen op zijn hoofdkussen legt.

Flaubert schreef de brief met zijn ode aan de tieten aan het einde van de reis die hij samen met zijn vriend Maxime Du Camp maakte door de Oriënt, de term die toen in zwang was voor het Midden-Oosten. De Oriënt was in het midden van de negentiende eeuw onder de invloed van de romantiek een mythe geworden. De Oriënt was de bakermat van de beschaving, het land van de piramiden en Griekse tempels, het Oude en het Nieuwe Testament en de koran. Het was ook het land van exotische betoveringen, van mysterieuze volkeren, uitzinnige landschappen en wonderbaarlijke zonsondergangen. Het geheel kwam samen in het beeld van de Oriëntaalse Schone, die in kleurrijke gewaden gestoken en behangen met sieraden tegelijkertijd de kuisheid en de wellust belichaamde.

De Oriënt oefende een grote aantrekkingskracht uit op West-Europese intellectuelen, schrijvers en kunstenaars. Er waren er heel wat die het gebied met eigen ogen wilden zien, waarbij zij aangetekend dat het vrijwel nooit alleen om de cultuur ging, maar dat wat we tegenwoordig sekstoerisme noemen meestal een beslissende rol speelde.

In het geval van Flaubert en Du Camp, die in oktober 1849 vertrokken, was dit zeker het geval. Via Athene en Alexandrië gingen ze naar Cairo, waarna ze Palestina, Syrië en Libanon aandeden om in mei 1851 via Turkije en Griekenland terug te keren naar Frankrijk. Het werd een gedenkwaardige reis, tijdens welke de heren een enorme seksuele activiteit tentoonspreidden. Als ze ergens aankwamen, gingen ze meteen aan de slag. Vrouwen, mannen, jonge meisjes, schandknapen, het maakte allemaal niet uit. Flaubert heeft er in zijn brieven aan Louis Bouilhet (in zijn brieven aan zijn moeder slaat hij een heel andere toon aan), in zijn *Carnets de notes* en in het postuum verschenen *Voyage en Orient* (de vertaling is van Chris van de Poel) uitgebreid over bericht: 'Ik heb hem in drie vrouwen gestoken en ben vier keer klaargekomen – drie keer voor het middagmaal, de vierde keer na het dessert' (Jeruzalem, augustus 1850). 'In Kenan heb ik een mooie meid geneukt die dol op me was en met gebaren liet weten dat ik mooie ogen had. En daarna nog een vet varken waarop ik flink ben klaargekomen en dat naar boter stonk' (juni 1850). In Constantinopel (december 1850) gaat het zo: 'In hetzelfde Galata zijn we een keer in een goor hok geweest om negerinnen te naaien. (...) Ze waren van zo laag allooi dat ik het niet aandurfde. Ik stond op het punt weg te gaan toen de bazin van het huis mij en mijn gids een teken gaf en ik werd toen naar een nette zijkamer gebracht. Daar bevond zich, achter de gordijnen op bed, een jong meisje van zestien of zeventien, blank, bruin haar, een lijfje van satijn, strak om haar heupen, mooie ledematen, lief en pruilend. Het was de dochter van Madam zelf, die bewaard werd voor grote ogenblikken. Ze deed gemaakt beleefd, ze dwongen haar bij mij te blijven. Maar toen we samen op bed lagen en mijn vinger al in haar vagina zat, nadat mijn hand over twee mooie met zijde bedekte albasten zuilen (stijl straatmeiden-empire) was gegaan, hoor ik haar in het Italiaans vragen of ze mijn gereedschap mag onderzoeken om te kijken of ik geen ziekte heb. Omdat ik aan de onderkant van mijn eikel nog een verharding heb en omdat ik bang was dat ze die zou opmerken, heb ik de heer gespeeld en ben ik uit bed gesprongen al roepende dat ze me beledigde, dat dit de manier was om een hoffelijk man te schofferen en ik ben weggegaan, met de pest in mijn hart dat ik zo'n mooi punt niet heb kunnen zetten en zeer vernederd dat ik met een niet-presentabele pik zit.' Het meisje in kwestie heette Rosa, komen we elders te weten.

De geslachtsziekte weerhoudt hem overigens niet altijd van seks. In de volgende zin alweer worden enkele 'matige Grieksen en Armeensen geneukt'.

De bekendste 'baisade' van de reis vond plaats in de nacht van 6 op 7 maart 1850, in Esneh, ten zuiden van Cairo, waar Flaubert zijn koningin van Sheba ontmoette. Op de morgen van de 6e werden Flaubert en Du Camp opgewacht door een danseres, Bembeh, die vergezeld ging van een schaap. Bembeh bracht hen in de loop van de middag naar het huis van de bekende courtisane Kuchuk-Hanem, wier vertrouwelinge zij was: 'Bembeh gaat ons met het schaap vooraf; ze duwt een deur open en we betreden een huis met een kleine binnenplaats; tegenover de deur een trap. En voor ons op de trap staat in het volle licht een vrouw wier contouren zich scherp aftekenen tegen de blauwe lucht, in een roze broek en met het bovenlijf gehuld in enkel een donkerpaarse gazen sluier.' Kuchuk-Hanem, wat 'de knappe kleine prinses' betekent of gewoon 'de danseres', wordt door Flaubert zo beschreven: 'Een groot, prachtig wijf, blanker dan de Arabische vrouwen, ze komt van Damascus; haar huid, vooral die van haar lichaam, is lichtjes koffiebruin. Wanneer je haar en profil ziet zitten, zie je bronzen vetkussentjes in haar zijde. Ze heeft hele grote zwarte ogen, zwarte wenkbrauwen, brede neusvleugels, stevige schouders, weelderige borsten, kortom een schoonheid.' De beschrijving in zijn brief van 13 maart aan Louis de Bouilhet mag er ook zijn: 'Het is een stevige meid, grote tieten en stevig in het vlees, met gespleten neusgaten, uitzonderlijk grote ogen, schitterende knieën, en als ze danste stevige vetplooien op haar buik.'

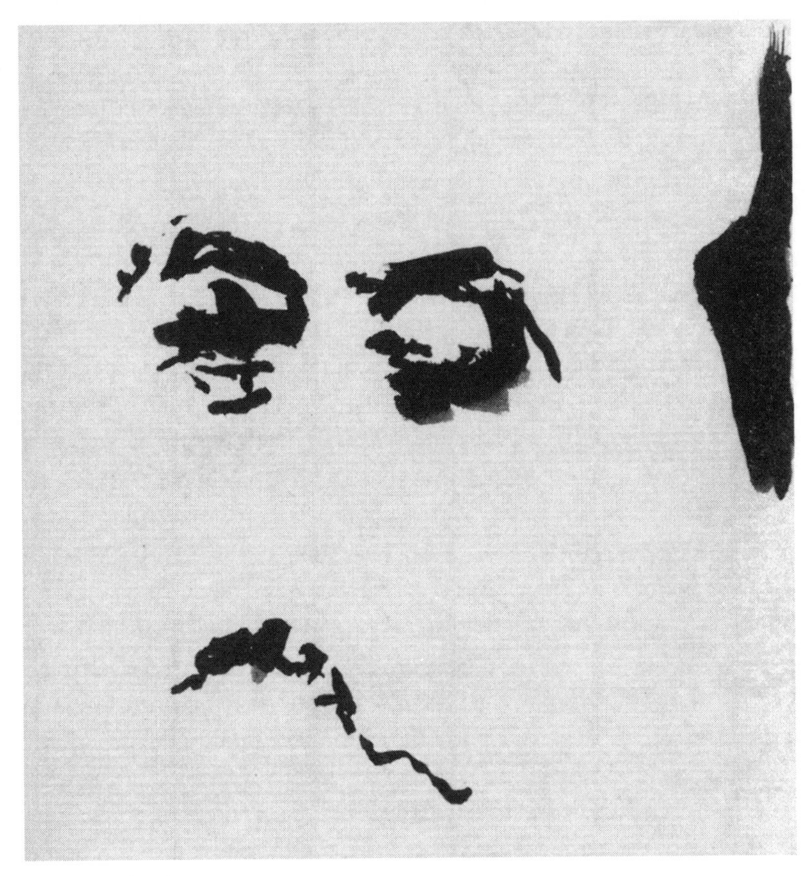

Gustave Flaubert.

’s Middags dansen Kuchuk en Bembeh voor hun gasten: ‘Kuchuk danst onbevangen, ze haalt haar jasje strakker om zich heen zodat haar twee naakte borsten tegen elkaar worden geperst. Voor ze begint te dansen bindt ze een bruine, als een ridderlint gevouwen sjaal om, met drie aan linten bengelende kwasten. Nu eens wipt ze op het ene been omhoog, dan weer op het andere, prachtig!’

Na de dans gaan Flaubert en Du Camp de plaatselijke tempel bekijken. Ze komen terug voor het diner. Er wordt flink gedronken en inmiddels heeft Saphiah Zougairah zich bij hen gevoegd. Over de gebeurtenissen na de maaltijd noteert Flaubert: 'Neukpartij met Saphiah Zougairah (kleine Sophie), heel verdorven en beweeglijk. Ze kwam klaar – maar het beste was de neukpartij met Kuchuk, haar kut molk me met fluwelen stootkussens. Ik voelde me een tijger.'

Na het neuken danst Kuchuck de bijendans, waarbij de muzikanten geblinddoekt worden en zij, op jacht naar de bij, steeds meer kledingstukken laat vallen. Dan is het tijd om te gaan, maar Flaubert blijft. 'Na een driftige neukbeurt slaapt ze in, haar vingers met de mijne verstrengeld. (...) Toen gaf ik me nagenietend over aan intense, van herinneringen vervulde dromerijen – dat gevoel van haar buik op mijn ballen; haar venusheuvel, die zoveel warmer was dan haar buik, had me doen heetlopen.' In zijn brief aan Bouilhet schrijft Flaubert dat hij Kuchuck 'heftig gebeft' heeft en dat vooral de derde neukpartij 'wild' was, 'de laatste was sentimenteel'. Midden in de nacht staat Flaubert op om te gaan pissen, terwijl Kuchuk zich verwarmt bij een kolenvuurtje. Dan schuiven ze weer bij elkaar in bed, als geliefden. Flaubert en Du Camp namen om zeven uur in de morgen afscheid.

Drie maanden later gaat Flaubert nog een keer bij Kuchuk op bezoek, maar de magie is verdwenen: 'Ik vond dat ze veranderd was. Ze was ziek geweest. Ik heb maar één punt gezet (het was drukkend weer, het was bewolkt, haar Abessijnse bediende besprenkelde de vloer met water om de kamer op te frissen). Ik heb lang naar haar gekeken om haar beeld goed in mijn hoofd te bewaren.'

Flaubert is Kuchuk-Hanem nooit vergeten. Salammbô kreeg trekken van haar mee, en aan het einde van *Herodias*, dat Flaubert ruim vijfentwintig jaar later schreef, danst Salomé voor Antipas de dans die Kuchuck voor hem heeft gedanst (de vertaling is van Hans van Pinxteren):

Haar voeten schuifelden, de een voor de ander, op het ritme van de fluit en een paar kleppers. Haar ronde armen wenkten

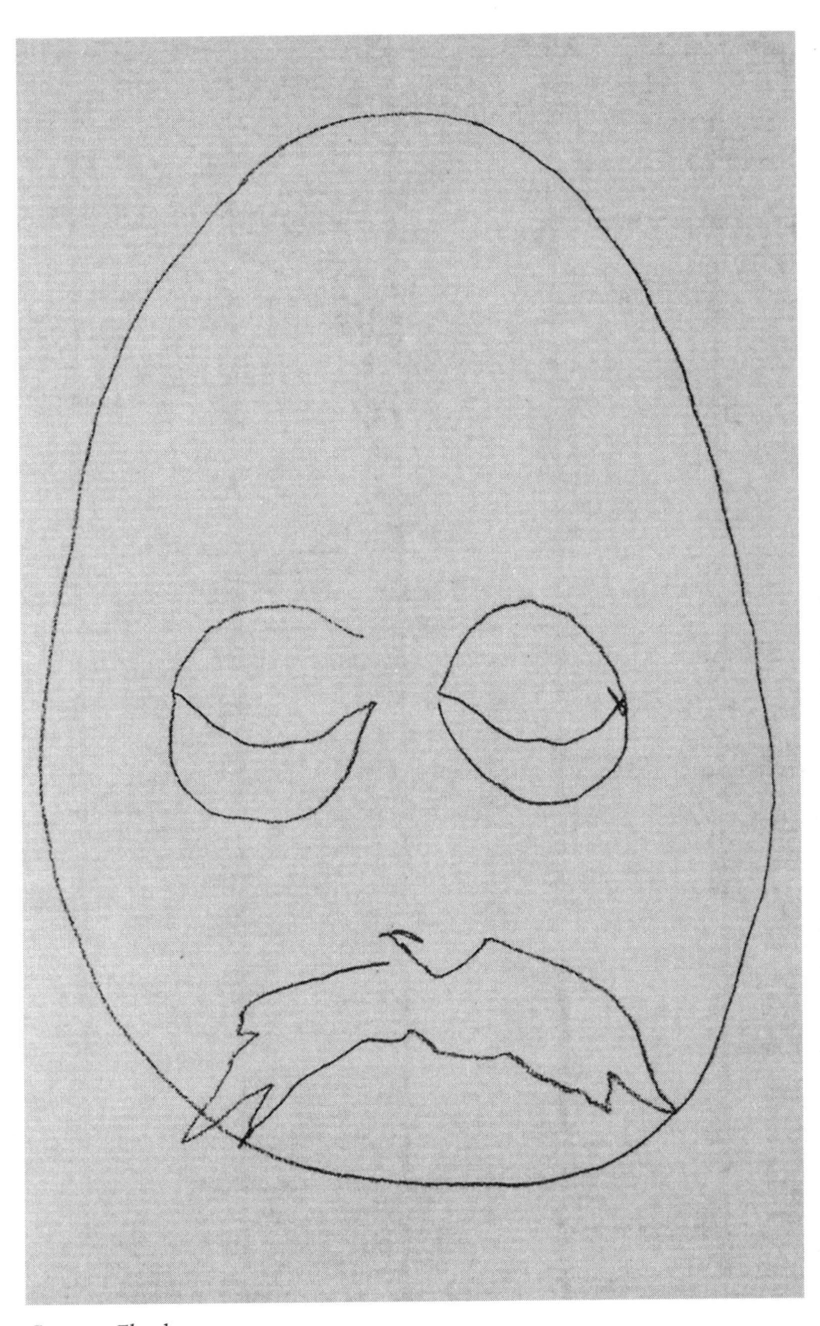

Gustave Flaubert.

naar iemand die telkens vluchtte. Lichter dan een vlinder achtervolgde zij hem, als een nieuwsgierige Psyche, als een zwevende geest, alsof zij zó zou kunnen wegvliegen.

De sombere klanken van de gingras vervingen de kleppers. Hoop maakte plaats voor neerslachtigheid. Haar gebaren drukten zuchten uit, en heel haar wezen had iets zo smachtends dat men niet wist of zij treurde om een god of stierf in zijn omarming. Met halfgesloten ogen en draaiende heupen wiegde zij golvend met haar buik, terwijl haar beide borsten trilden; en haar gelaat bleef onbewogen, haar voeten hielden niet stil. (...)

Hierna kwam het vurig liefdesverlangen dat bevrediging zoekt. Zij danste als de Indische priesteressen, als de Nubische vrouwen die wonen bij de cataracten, als de Bacchanten van Lydië. Zij keerde zich ruggelings naar alle kanten, als een bloem zwierend in de storm. De briljanten in haar oren dansten, de stof over haar rug schitterde bont; uit haar armen, haar voeten, haar kleren sprongen onzichtbare vonken die de mannen in vlam zetten. Een harp klonk op; de menigte viel bij met applaus. Ze spreidde haar benen, en zonder haar knieën te buigen, bukte zij zich zo diep dat haar kin bijna de grond raakte (...).

Zij buitelde op haar handen, met haar voeten omhoog, en zo liep zij over het podium, als een grote scarabee; plotseling hield zij stil.

Haar nek vormde een rechte hoek met haar wervelkolom. De bonte bekleedsels om haar benen reikten als regenbogen over haar schouders en omraamden haar gezicht, op een armlengte van de grond. Haar lippen waren geverfd, haar wenkbrauwen gitzwart, haar ogen bijna schrikwekkend; en de druppeltjes op haar voorhoofd parelden als damp over wit marmer.

Flaubert hoopte dat Kuchuk hem ook niet zou vergeten: 'Hoe strelend zou het voor je trots niet zijn bij je vertrek met zekerheid te weten dat je een herinnering achterlaat, dat ze aan jou vaker zal denken dan aan al die anderen, dat ze je in haar hart koestert.'

Niet lang na het avontuur in Esneh openbaarden zich bij Flaubert de eerste symptomen van syfilis. Men is er lang van uitgegaan dat Kuchuk de schuldige was, maar inmiddels lijkt het waarschijnlijk dat de besmetting van september 1850 dateert toen Flaubert in Damascus was. De knappe kleine prinses is onschuldig.

De groene uren van Charles Cros

Als er één kleur is die bij het laatste kwart van de negentiende eeuw hoort, is dat groen. Het is het groen van Van Gogh, het groen van de absint waaraan vrijwel alle Franse schrijvers verslaafd waren. Op het groene uur verzamelden ze zich in de cafés en wijdden ze zich aan het ritueel, waarbij ze de gifgroene absint zorgvuldig uitschonken over het suikerklontje dat het gat in de lepel vulde, om vervolgens weg te zweven op hun dromen. Rimbaud en Verlaine waren even beruchte als gevreesde absintdrinkers. Eenmaal in Afrika zwoer Rimbaud de drank af, maar Verlaine heeft zich doodgedronken.

De dichter Raoul Ponchon, een habitué van het cabaret Le Chat Noir, heeft over de absint een van zijn mooiste verzen geschreven:

Absint

Ik aanbid je, zoveel is zeker, absint!
Iedere slok die ik mag laten zakken,
Is als de ziel van de tedere takken
In het seizoen dat het groen zo bemint!

Verwarring brengt je frisse geur.
En in je opaalgroen wemelen
Zie ik de eens bewoonde hemelen,
Als door een open deur.

O uitweg der verdoemden! Wat maakt het uit,
Dat je paradijs zich steeds weer sluit,
Zolang jij, als een bruid,

Mij, voor mijn allerlaatste boot,
Steeds weer in je armen sluit,
En mij zo laat wennen aan de Dood.

Ook Charles Cros was verslaafd aan het groene uur, zoals hij het noemde. Toen hij in 1888 op zesenveertigjarige leeftijd stierf, werd hij herdacht als de man die zijn beloften niet had ingelost. Niet als schilder, niet als uitvinder, zelfs niet als dichter. De in de necrologieën niet genoemde schuldige was de absint die hem in bepaalde perioden van zijn leven regelmatig meesleepte op kroegentochten in het Quartier latin of op Montmartre. Hij bleef dan weken, soms zelfs maanden onder water. In tegenstelling tot Ponchon, die bijna negentig werd, was Cros niet opgewassen tegen de ravages die absint aanricht in het menselijk lichaam. Des te ironischer dus dat ook hij een van zijn mooiste verzen aan zijn verslaving te danken heeft. Maar 'L'Heure verte' is niet het vers van een alcoholist. Het is een hoogst opgewekt gedicht. Toen hij het schreef was Cros nog geen dertig en leek zijn leven nog voor hem te liggen:

Het groene uur

Als wordt het gewiegd in een hangmat
Slingert en draait ons denken.
Op dit uur dat de maag zich bezat
Aan de vloed van absint die wij schenken.
En de absint doortrekt nu de lucht,
Want dit uur is geheel van smaragd.
Onze trek scherpt de reuk en zucht
naar waar zo menige neus rood naar smacht.

Terwijl ze de wetende blik
Van haar aquamarijne ogen laat dwalen,
Speurt Circé naar het windje dat haar ik
En haar neusje doet stralen.

En, naar onbekende etentjes,
Spoedt ze zich door het melkblauw gewemel
Van de avondnevel. Venus
licht op in de bleekgroene hemel.

Emile Hortensius Charles Cros (1842-1888) werd op 1 oktober in Fabrezan in de Aude geboren. Hij was negen toen zijn vader zich met zijn vrouw en hun vier kinderen als leraar in Parijs vestigde. Cros ging niet naar school, maar kreeg les van zijn vader. Vanaf zijn elfde studeert hij, op eigen houtje, Hebreeuws en Sanskriet, waarin hij vanaf zijn veertiende zelf les zal geven. Drie jaar later geeft hij scheikunde op het Institut des Sourds-Muets in Parijs. In 1862 komt zijn broer Henry er ook werken. Bij een duel met een collega is Charles zijn secondant. Dit komt zijn reputatie niet ten goede en een jaar later wordt hij ontslagen. In de jaren die volgen studeert hij medicijnen en doet allerlei wetenschappelijke experimenten. Via zijn broer Antoine, die salon houdt in de rue Royale, raakt hij betrokken bij het artistieke leven van Parijs. Hij ontmoet Verlaine en de in die dagen zeer populaire dichter François Coppée. In dezelfde periode wordt hij geïntroduceerd in de salon van Nina de Villard, met wie hij al snel een tumultueuze verhouding begint. Hij zal een aantal verzen aan hun verhouding wijden, waaronder het onthullende 'Schets':

Schets

Slecht karakter, maar een mooie kont.
Ze houdt nooit haar mond,
En zegt op charmante toon
Absurde dingen als waren ze gewoon.

Ze is nauwelijks van deze aarde
Laat als een panter gevoel in zijn waarde.
Haar geliefde te zijn valt me zwaar.
Zeg jij dat je niet gek op haar bent? Leugenaar!

De wetenschap probeert alles te zeggen
En bewijzen te overleggen
Over het goed en het kwaad, maar of men het redt?
En waarom ook? Zij lacht zonder spijt
Om wat men ook zegt. Wat een tijd
Dat engelen zo in elkaar zijn gezet.

Dat is in 1868. Een jaar later raakt het leven van Cros in een stroomversnelling. Hij publiceert zijn *Solution générale du problème de la photographie des couleurs* (Oplossing voor het probleem van het fotograferen van kleuren), waarin hij een theorie ontvouwt die het mogelijk moet maken 'om alle zichtbare verschijnselen te registreren, vast te houden en te reproduceren, in hun geheel, met behoud van hun oorspronkelijke vorm en kleur'. Tegelijkertijd verschijnt zijn *Essai sur les moyens de communication avec les planètes* (Studie over de mogelijke middelen tot communicatie met andere planeten), een plan om via een soort laserstraal in contact te komen met de eventuele bewoners van Mars en Venus. Als er op die planeten geen wezens zijn die qua intelligentie vergelijkbaar zijn met de mens, is er volgens Cros geen man overboord: 'Het project loopt dan uit op een mislukking. Maar omdat slechts de realisatie van het project een antwoord op de vraag kan geven, is het wetenschappelijk gezien zeer interessant en alleszins verdedigbaar.'

In hetzelfde jaar begint hij ook gedichten te schrijven. Hij debuteert in *L'Artiste*, het tijdschrift van de Parnassiens, van maart 1869. Zijn 'Nocturne' wordt begroet als 'een klein meesterwerk'. Dat lijkt een goed begin, maar in de sfeer van haat en nijd die onder de Parnassiens heerste, leidde dit ook tot de nodige afgunst, terwijl het feit dat Cros weigerde zich als de onzekere

Adieu

Je pisse dans le saint ciboire
Et je dérobe aux espaliers
Les pêches mûres, par milliers,
Je me moque un peu de l'Histoire

Ce qu'on voudrait me faire croire:
Les gendarmes bruyants de pieds
Les quêteurs pour estropiés
Tout ça c'est la nature noire.

Donc je vais fuir au Pays vieil
Coteaux plein de miel sans pareil
Loin des bêtes que le sang grise
Et j'aurai cette joie-exquise
De voir courir, fleurs au soleil
Mes fils qu'ébouriffe la brise

— Charles Cros

Handschrift Charles Cros.

debutant te gedragen allerwegen kwaad bloed zette. Cros slaat met zijn poëzie een eigen weg in en schrijft gedichten als 'Le Hareng saur', waardoor hij zich nog verder verwijdert van de Parnassiens, die hoge esthetische idealen koesteren, waarin zeker voor bokkingen geen plaats is. Maar Cros heeft hier geen weet van. Het interesseert hem ook niet. Hij is bevriend met Verlaine en dat is hem genoeg.

En dan arriveert Rimbaud.

Het zijn Cros en Paul Verlaine die hem eind september 1871 in Parijs ontvangen. Tussen Rimbaud en Verlaine is het liefde op het eerste gezicht en zo komt Rimbaud niet alleen tussen Verlaine en zijn vrouw, maar ook tussen Verlaine en Charles Cros, die tot dat moment zijn beste vriend was. Toch stelt Cros zich uiterst beminnelijk op. Als Rimbaud twee weken in het huis van Verlaines schoonouders heeft gewoond en zich daar volstrekt onmogelijk heeft gemaakt, neemt hij hem zelfs in huis.

Charles Cros woonde in de rue Séguier, op nummer 13, in een ruimte die hij deelde met de schilder Michel de l'Hay. Hij deed in die tijd pogingen om edelstenen te vervaardigen. Volgens enkele getuigen lukte dat op een gegeven ogenblik heel aardig en maakte hij schitterende robijnen. Het probleem was dat zijn kunstmatig vervaardigde robijnen duurder waren dan echte. Rimbauds verblijf bij Cros was van korte duur. Vlak na Rimbauds komst kreeg Cros het verzoek een dichtbundel samen te stellen uit de verzen die hij in de loop van de jaren had gepubliceerd in *L'Artiste*. Toen hij de stapel tijdschriften doornam, kwam hij tot de ontdekking dat de bladzijden met zijn verzen ontbraken. Rimbaud had ze uitgescheurd, en niet om ze uit bewondering te bewaren, maar om er zijn gat mee af te vegen. Ondanks de ruzie die hieruit voortvloeide, bleven Cros en Rimbaud elkaar zien.

In oktober 1871 richtten Charles Cros en zijn broers Antoine, een arts, en Henri, een beeldhouwer, een club op die ze de Cercle Zutique noemden.

De Cercle Zutique was gevestigd in een grote kamer in het Hôtel des Étrangers, het huidige Hôtel Belloy Saint-Germain, op de hoek van de boulevard Saint-Michel en de rue Racine. De club huisde op de derde verdieping, vanwaar de zutisten fraai uitkeken op de boulevard Saint-Michel, de thermen van Cluny en het café François-Ier. Cros en zijn vrienden hadden de kamer omgebouwd tot een heuse sociëteit, met een bar, cafétafels, banken en een piano. De club was gepacht door pianist Ernest Cabaner. De leden van de club konden er dag en nacht terecht om te drinken, te discussiëren en te ruziën, te zingen en voor te dragen of hun roes uit te slapen op een divan. Tot de zutisten behoorden behalve de drie gebroeders Cros, Charles de Sivry, Ernest Cabaner, Léon Valade, Jean Richepin, Germain Nouveau, Raoul Ponchon en Paul Bourge ook Rimbaud en Verlaine. Rimbaud beschouwde het lokaal van de Cercle Zutique geruime tijd zelfs als zijn huis.

Cros en Rimbaud zullen elkaar dus regelmatig hebben ontmoet. Aan Mathilde Mauté, de vrouw van Verlaine, vertelde hij later over een incident dat plaatsvond op 9 mei 1872. Toen Verlaine die dag thuiskwam, zat hij onder het bloed. Hij had sneeen in zijn polsen en in zijn dijen. Verlaine zei dat hij zichzelf had verwond, maar van Cros hoorde ze de werkelijke toedracht van de geschiedenis. Verlaine, Rimbaud en hij zaten samen in café le Rat Mort toen Rimbaud zei: 'Leg allebei je handen op tafel. Ik wil jullie iets laten zien.' Ze legden hun handen op tafel en meteen trok Rimbaud een mes en hakte in op de polsen van Verlaine.

Het zal een van de laatste keren zijn geweest dat Cros, Rimbaud en Verlaine met z'n drieën op stap waren. Twee maanden later, op 7 juli 1872, gingen Rimbaud en Verlaine er samen vandoor. Cros, die de kant van de vrouw van Verlaine koos, zou ze geen van beiden terugzien.

Een maand later kwam de breuk met Nina Villard, die hem bedroog en niet van zins was daarmee op te houden. Plotseling stond Cros alleen. Het werd nog erger, want *Le Coffret de santal*, de dichtbundel waarvan hij hoge verwachtingen koesterde, werd volkomen genegeerd. Het is op z'n minst opmerkelijk dat er in 1873 nog twee meesterwerken verschenen die volstrekt onopgemerkt bleven, *Une Saison en enfer* van Arthur Rimbaud en *Les Amours jaunes* van Tristan Corbière. Er is nog hoop, Miskende Dichters! Zelfs meer hoop dan verwacht. Als de zeer miskende dichter Louis-Philippe des Cigales uit de roman *De droomheld* van Raymond Queneau te horen krijgt dat hij tegen betaling een plekje kan krijgen in een *Anthologie van Grote Miskende Dichters* informeert hij achterdochtig wie die andere Miskende Dichters dan wel zijn. Anatole de Saint-Symphorien, Adalbert Mirus, Simplex de la Ruine-Égale, krijgt hij te horen, en Ursule Cuzdasne, Pauline Train, Eliane de Pardelà-les-Blés. Des Cigales kent ze niet. Natuurlijk niet, luidt het antwoord. Ze zijn immers miskend. En dan zegt Des Cigales: 'Miskend! Miskend! Nee! nee! voor een gegeven tijdperk is er maar één miskende! en voor dit tijdperk! dat wij beleven! op dit moment! ben ik! die miskende!' Zelfs dat blijkt dus niet waar.

Cros bestreed zijn eenzaamheid door zich onder te dompelen in de bohème. Hij associeerde zich met de dichters Jean Richepin en Maurice Rollinat, geen slechte dichters, maar van een ander niveau dan Rimbaud of Verlaine. De wanhoop die zich van hem meester maakte, heeft hij verwoord in het aan Maurice Rollinat opgedragen 'Besluit':

Besluit

In mijn droom zag ik goddelijke liefdes verschijnen,
De dronkenschap van handen en van wijnen,
Van goud en zilver, ik zag zinloze rijken verdwijnen,

Ik achttien, Zij zestien jaar op aarde.
Tussen de paden die wij als leuk ervaren
Reden we dan op onze paarden.

De tijd, dat je kinderlijke dingen zei,
Van stoutmoedige wensen, is voorbij!
Het geld dat ik heb, is niet van mij.

En de zielen die ik roep
Zijn als verre sterren zoek.
Ik zal dronken sterven, in een hoek.

Cros raakte betrokken bij de hydropathen, een groep dichters waarvan onder meer Jean Richepin, Germain Nouveau, Raoul Ponchon en Maurice Rollinat deel uitmaakten. Ze kwamen iedere woensdag en zaterdag bij elkaar in een café op de boulevard Saint-Michel, waar gedronken, gezongen en voorgedragen werd. De avonden werden begonnen met het zingen van het door Cros geschreven clublied:

Lied der hydropathen

Hydropathen, zing samen voor de lol
Het lied van koning alcohol.

Wijn is een vloeistof rood
– Behalve 's morgens als-ie wit is.
Je drinkt tien, twintig glazen, en Keristis!
Als je te veel drinkt, raakt alles uit het lood.
Laat ons dus drinken van de wijn als water,
Die 's morgens wit en 's avonds rood wil zijn,
En laat-ie zorgen (als ik worstel met mijn kater)
Voor heldere zon- en maneschijn.

Hydropathen, zing samen voor de lol
Het lied van koning alcohol.

Hoewel Cros zich al snel van de hydropathen distantieerde, had hij de reputatie gekregen humorist te zijn. Van die reputatie is hij niet meer losgekomen. Zijn wetenschappelijk werk werd niet serieus genomen. Hij heeft plannen voor een 'phonograaf', maar slaagt er niet in het geld bij elkaar te krijgen dat nodig is om de theorie in praktijk om te zetten, en zo faalt hij waar Edison slaagt.

Van het door hem opgerichte tijdschrift *Le Monde Nouveau* verschijnen slechts twee nummers. Een poging de *Cercle Zutique* nieuw leven in te blazen loopt op een mislukking uit. Inmiddels

In juni was de oorlog met Pruisen uitgebroken en Frédéric Rimbaud had zich al snel bij het oprukkende Franse leger aangesloten. Omdat Izambard naar Douai was vertrokken, moest Rimbaud het alleen zien te redden in Charleville. Eind augustus kwam zijn moment. Hij verkocht de boeken die hij als prijs had gewonnen, plus nog een paar boeken die hij van Izambard had geleend, en tijdens een wandeling langs de Maas met zijn moeder en zusjes kneep hij ertussenuit. Omdat er vanuit het station van Charleville geen treinen richting Parijs reden, ging hij eerst naar Charleroi. Geld voor een kaartje naar Parijs had hij niet meer. Hij kwam tot Saint-Quintin en vandaar reisde hij zwart verder. Op het gare du Nord werd hij ogenblikkelijk opgepakt. In zijn rapport schrijft de dienstdoende ambtenaar van de spoorwegpolitie: '31 augustus. Gare de Paris. Ik heb de heer Rimbaud, zeventienenhalf jaar oud, van Charleroi naar Parijs gekomen met een kaartje voor Saint-Quintin, zonder verblijfplaats of middelen van bestaan naar het Dépôt de la Préfecture de Police gestuurd.'

Een paar dagen later zendt Rimbaud een aantal noodsignalen uit. Izambard komt meteen in actie. Hij brengt mevrouw Rimbaud op de hoogte en stuurt Rimbaud genoeg geld om zijn schuld te betalen en met de trein naar Douai te komen, waar hij bij Izambards tantes logeert. Rimbaud zou tot eind september in Douai blijven. Hij schrijft er 'Les Chercheuses des poux' en in twee schriften kopieert hij zijn poëzie van dat jaar. Eind september keert hij terug naar Charleville. Aan de dichter Paul Demeny schrijft hij: 'Ik zal je schrijven – schrijf jij mij? Ja?'

Rimbauds verblijf in Charleville was van korte duur. Begin oktober ging hij er opnieuw vandoor, deze keer te voet. Izambard nam het op zich zijn leerling te gaan zoeken. Hij had het spoor al snel te pakken. Rimbaud ging simpelweg zijn medeleerlingen af, die, omdat er in verband met de oorlog geen school was, allemaal thuis zaten. Via Fumay was hij naar Charleroi gelopen en vandaar ging hij verder naar Brussel, waar hij bij een vriend van Izambard aanklopte met het verhaal dat zijn familie hem in het kader van zijn opvoeding een voetreis door België liet maken. Nadat hij had gegeten en wat geld had losgepraat, was hij weer vertrokken. Izambard, die geen idee had waar hij verder moest zoeken, ging naar Douai en tot zijn verbazing bleek Rimbaud daar als de verloren zoon binnengehaald en liet hij zich al drie dagen door Izambards tantes vertroetelen. Hij was bezig zijn nieuwe verzen in het net te schrijven. Toen een van de tantes opmerkte dat het goedkoper was om het papier aan twee kanten te beschrijven, antwoordde Rimbaud volgens de overlevering: 'Dichters beschrijven papier nooit aan twee kanten.'

Toen mevrouw Rimbaud haar zoon weer opeiste, stond zij erop dat hij niet door Izambard maar door de politie thuis zou worden afgeleverd. Izambard regelde de zaak op het politiebureau waar hij vroeg of ze de jongen goed wilden behandelen. Nadat hij de toezegging had gekregen, nam hij afscheid van Rimbaud. Ze zouden elkaar nooit meer zien.

Een paar dagen na Rimbauds vertrek vond een van de tantes een afscheidsgedichtje dat Rimbaud op de huisdeur had geschreven. Izambard was ontroerd, maar maakte, helaas, geen kopie.

De oorlog was inmiddels Charleville-Mézières genaderd en na een kort bombardement, waarbij het huis van de familie Delahaye verwoest werd, capituleerde de vesting op 31 december 1870. Het Collège van Charleville was toen nog steeds gesloten. Rimbaud ging vaak naar de gemeentelijke bibliotheek, waar hij een ernstige ergernis van de bibliothecaris op wist te wekken. Boeken die hij in de bibliotheek niet kon vinden, pikte hij uit de plaatselijke boekwinkels, oorspronkelijk met de bedoeling ze nadat hij ze had gelezen weer terug te leggen. Maar omdat hij bang was daarbij betrapt te worden, ging hij er later toe over ze te verkopen. Verder lijkt hij het vooral druk te hebben met het choqueren van de inwoners van Charleville. Zo liet hij zijn haar groeien tot het halverwege zijn rug hing. Uiteraard wordt hij voor 'juffrouw' uitgemaakt. Als een grapjas hem een kwartje

Charles Cros berijdt zijn bokking.

zijn de sterren van Verlaine, Rimbaud en Mallarmé snel stijgende, maar Cros wordt als dichter miskend. En tegelijkertijd was hij immens populair. Hij was een van de sterren van Le Chat Noir, waar hij iedere avond 'De bokking' voordroeg:

De bokking
voor Guy

Er was een grote witte muur – kaal, kaal, kaal,
Tegen de muur een ladder – hoog, hoog, hoog,
En op de grond een bokking – hard, hard, hard,

Hij komt en houdt in zijn handen – vuil, vuil, vuil,
Een zware hamer, een grote spijker – scherp, scherp, scherp,
Een bolletje touw – dik, dik, dik,

Dan klimt hij op de ladder – hoog, hoog, hoog,
En slaat de scherpe spijker – plok, plok, plok,
Hoog bovenin de witte muur – kaal, kaal, kaal,

Hij laat de hamer los – die valt, die valt, die valt,
Bevestigt aan de spijker het touw – lang, lang, lang,
En, aan het eind, de bokking – hard, hard, hard.

Hij daalt weer van de ladder af – hoog, hoog, hoog,
Neemt hem met de hamer mee – zwaar, zwaar, zwaar,
En gaat dan elders heen – ver, ver, ver.

En, sindsdien zweeft de bokking – hard, hard, hard,
Aan het einde van het touw – lang, lang, lang,
Langzaam heen en weer – immer, immer, immer.

Geschreven heb ik dit – simpele, simpele, simpele,
verhaal om ze kwaad te maken, de – ernstige, ernstige, ernstige
mensen en om te vermaken de kinderen – klein, klein, klein.

Tot zijn dood zou hij 'De bokking' blijven voordragen. Hij had weinig keus. Het was vrijwel zijn enige bron van inkomsten.

In 1887 schreef hij bitter: 'Inderdaad: natuurkundige, scheikundige, filosoof en dichter, maar ik ben al sinds lang veroordeeld slechts de grapjas van "De bokking" te zijn.'

Merkwaardigerwijs geven zijn laatste jaren een uitbundige poëtische opleving te zien. Bijna alle gedichten uit zijn postuum verschenen bundel *Le Collier de griffes* schreef hij tussen 1885 en 1888.

Charles Cros stierf op 9 augustus 1888 in zijn huis in de rue de Tournon 5. Hij werd begraven op de begraafplaats Montparnasse.

Enkele maanden voor zijn dood schreef hij nog een lang gedicht. Het werd zijn laatste publicatie:

Het visioen van het groot koninklijk kanaal tussen de twee zeeën

Vlieg naar de Koning van Frankrijk, mijn zangen,
Vertel hem mijn stralende droom, mijn hoogste verlangen!

In lieflijke, langzame verzen bezing ik, o Vaderland,
De gordel van blauw die je flanken omspant,

De vloeibare weg van Bordeaux naar Narbonne
Beurtelings gedrenkt door Aude en Garonne.

De dageraad spreidt zijn roze armen over zijn woning.
Je ruikt rozen, je ruikt tijm, je ruikt honing.

Het warme briesje, nat, dat heel vaag geurt,
Blaast uit de blauwe zee die met schapengolfjes geurt.

En de blauwe zee komt tussen berg en dal;
Zijn getemde stroom brengt schepen zonder tal:

Schepen uit de Oriënt, gevuld met aromaten,
Schuiten vol maïs, citroenen en tomaten,

Feloeken die met kasjmier-balen komen,
Tartanen waarop je Levantijnen ziet dromen.

Fonkelende schatten uit India en China passeren
Gehuld in de stoom die de machines produceren:

Parelmoer, ivoor en zijde en thee,
Met thee, zoete nectar, komt kuise wellust mee;

Parelmoer, uit maanbos opgegraven slagtand,
Wilgen, perziken in bloei tegen bruin-blauw kant.

Tabak, hasjiesj, opium, vergiften die verleiden,
En iedere douanier en alle voorschriften misleiden!

In het diepe kanaal, zonder de winden van het ruime sop
En blij met zijn vracht, stoomt dit schip op.

Het is een Rus en komt uit de grote graanschuur,
Het is een vriend! Met brood voor ons moeilijke uur;

Onder de mooie hemel, onder licht aan goud gelijk
Haasten zich de schepen, als een zwerm bijen zo rijk.

In lieflijke, langzame verzen bezing ik, o Vaderland,
De gordel van blauw die je flanken omspant,

De vloeibare weg van Bordeaux naar Narbonne
Beurtelings gedrenkt door Aude en Garonne.

Zie, hoe wit de huizen langs de oevers staan,
Gelukkig, zonder zorgen over het moeilijk bestaan!

Want de mens en zijn wetenschappelijk streven
Deed hier olijfboom en wijnrank herleven.

De olijf is de vrede; het geluk is de wijn.
In dit heerlijke land zal alles vreugde zijn.

Tijdens hun wandelingen dragen de meisjes daar
Korenbloemen, jasmijn en bloesem in hun haar.

Het zijn de jongens die, terwijl zij zich vertreden
Het Occitaans tot heldere liederen smeden.

Toulouse! eeuwenoude stad waar nooit teloor
Gaan, uw gouden bloemen, Clémence Isaure,

Triomfantelijk Toulouse mag zich de wereld wanen
Onder zijn bakstenen paleizen en groene platanen.

De fluit klaagt en de harp klinkt als een zonne
Langs het kanaal van Bordeaux naar Narbonne.

In lieflijke, langzame verzen bezing ik, o Vaderland,
De gordel van azuur die uw flanken omspant.

Van de Oceaan komen, van twee kanten en zwaar beladen
Zwarte schepen en graan dat men stort op de kaden,

En goud, zilver en leer, bedoeld om te ruilen
Zodat de misdaad zich voedt, en mijn verzen huilen.

Runderen met grote zachte ogen, bang voor de zee,
Wreed beschreven als 'mondvoorraad' komen ze mee.

Dat is Amerika, dat betekent vlees en brood.
Maar zwijg. In het oosten hongeren zoveel armen dood!

Dit devies kun je bij de Engelsen halen:
Kolen, katoen, horen, zwijgen, betalen.

Met de Engelsen, oude vijand, is het gebeurd,
Blauwe zee, waar parelmoer glanst en koraal kleurt.

Slaap *Méditerranée*, onder ogen van de nacht,
En lach naar de morgen, zee, die ons Venus bracht,

En lach naar Afrika, waar de heilige vrijheid zal groeien
En door de ontembare trots onzer vorsten zal bloeien!

Golf van azuur en hermelijn, op de rotsen waartegen je slaat
Verbiedt Frankrijk dat er nog één slaaf in ketenen gaat!

In lieflijke, langzame verzen bezing ik, o Vaderland,
De gordel van azuur die uw flanken omspant.

Normandiërs, Bretagners, Gascogners, Languedoc en Provence
Laat ons drinken op de gezondheid van de Koning der Fransen.

Kom hierheen, laten we zingen en handen geven,
Ver van het onweer, ver van de rampzalige wegen,

De zee van Sargossa, Gibraltar en de golf van Biskaje,
Waar de Engelse rovers niet langer snaaien.

Scandinavië, als je wilt, matroos, waar de wereld van houdt,
Breng ons je vis en neem mee ons zout.

En laat onze wijnen je stoutmoedigheid schenken
In IJsland en waar de New-Foundlandse nevels wenken.

In lieflijke, langzame verzen bezing ik, o Vaderland,
De gordel van azuur die je flanken omspant.

De weg waarop de volmaakte wetenschap wachtte,
Het kanaal gegraven door Koninklijke machten.

Hier, kalm, in het hart van het land, in bekkens, wiegen
de ijzeren schepen die als wespen in zwermen vliegen.

Zij slapen en kennen de weg op hun duimpje.
De Fransen aan boord, de Dood in het ruimpje.

En het ongezonde Oosten met zijn corruptiedromen
Weet niet waar wij uit het kanaal zullen komen.

Vlieg naar de Koning van Frankrijk, mijn zangen,
Vertel hem mijn stralende droom, mijn hoogste verlangen.

Nu vormen de kanalen een fijnmazig net
Dat als een geborduurd tapijt in het land is gezet.

En het land van blonde oogsten, van purperen wijn,
Weet in zijn hart wat de wegen der twee werelden zijn.

De vloeibare weg, blauw, met langs zijn oevers groene bomen,
Waarvan mijn verzen zingen en waar Riquet van moest dromen.

Goedaardige ijzeren monsters, graafmachines, baggermolens,
Maakten deze rivier waarin de golven van twee zeeën samenkomen.

En de aarde, uit de krochten van haar bestaan,
Geeft Gallisch geld, gemunt met een lis, met een haan.

Gallisch geld voor wie in de Elzas en Lotharingen wonen,
Bolwerken die in het oosten een machtig Frankrijk tonen,

Frankrijk, door de grote populieren van de Rijn
Begrensd, trotse getuigen van tijden die niet vergeten zijn.

Want de Rijn net als de Rhône is een Gallische stroom,
Net als de Seine waarin de poten baden van de troon.

Net als de Loire waar Jeanne en haar dappere ploeg
Van ridders voor Orléans de Engelsen verjoeg.

Net als de mooiste blauwe weg ooit verzonnen
HET GROOT KONINKLIJK KANAAL VAN BORDEAUX NAAR NARBONNE.

De Koning van Frankrijk in zijn paleis in Parijs
Ontvangt iedereen, zelfs voor de Engelsen is het weer prijs.

Op deze wereld is Parijs het mooist dat bestaat
En zwijgen moeten afgunst en haat.

Overal regeren de eer en de wet, als beloning
Voor de kracht van Frankrijk en van zijn Koning.

De Koning, die trots lijkt, is zo goed als je je kan denken!
Wie zal zeggen hoe vaak hij niet gratie moest schenken.

Met akelige gevechten en processen, keer op keer,
Heeft het hart van het grote Franse volk geen problemen meer.

Het land, zo geplunderd en moorddadig tot op heden,
Biedt aan het vaderland zijn bloed, aan zijn Koning de vrede.

Maar de glorie van de Franse Koning zal hoger reiken
Dan de aarde. Hij moet ook naar de hemelen kijken.

Want de hemel is bevolkt met liefdevolle planeten,
Als de onze, met licht en schaduwbossen niet te vergeten;

Want de geleerden zien al meer dan honderd jaar
Vergeefs verstuurde signalen. Wij waren niet klaar!

Mars, de strenge planeet met zijn kennis voor tien,
Zendt zijn groet. Ze hebben de lijn blauw op Frankrijk gezien.

Een geheime kracht laat ritmisch een glanzend punt verschijnen
In die verre wereld, verschijnen en dan weer verdwijnen.

Antwoord, astronoom, na meetkundig gegis!
Laat ze weten dat hier het Woord mens geworden is.

Hun genie staat in zoveel kanalen gegrift!
'Ook op aarde regeert het verstand' was het bericht.

Ze hebben het teken gezien door krachtige telescopen,
Hun lichtflikkering is de oproep waarmee ze Europa bestoken.

Frankrijk was dan ook de eerste op aarde die gericht
Met licht antwoord gaf op licht.

In lieflijke, langzame verzen heb ik bezongen, o Vaderland,
De gordel van azuur die je flanken omspant.

Vlieg naar de Koning van Frankrijk, mijn zangen,
Vertel hem mijn stralende droom, mijn hoogste verlangen.

Stéphane Mallarmé, Méry Laurent en de posterijen

De vrouw die bekend zou worden als Méry Laurent werd op 29 april 1849 in Nancy geboren als Anne Rose Suzanne Louviot, vader onbekend. Drie dagen na haar vijftiende verjaardag trouwde ze met Jean Claude Laurent, een zevenentwintigjarige kruidenier. Er wordt aangenomen dat er haast was bij dit huwelijk, zoals er ook wordt aangenomen dat niet de kruidenier de aanstaande vader was maar maarschalk Canrobert, de militair-gouverneur van de stad en veertig jaar ouder dan Anne Rose. Van de veronderstelde baby is overigens nooit een spoor gevonden. Enkele maanden na het huwelijk werd Jean Claude Laurent failliet verklaard maar bij de boedelscheiding kreeg Anne Rose zevenduizend franc toegewezen. Ze vertrok ogenblikkelijk naar Parijs. Over de tien jaren die volgden, is maar weinig bekend. Ze noemde zich Marie Laurent en stond op het toneel, vaak naakt, want ze was dan wel geen groot actrice of zangeres, maar wel heel mooi. Zoals zoveel jeugdige actrices uit het Parijs van die dagen verkeerde Marie Laurent jarenlang in het schemergebied tussen theater en prostitutie, tot een ontmoeting met de Amerikaanse tandarts Thomas Evans haar leven ingrijpend veranderde. Evans installeerde haar in een appartement in de rue de Rome en gaf haar een maandelijkse rente van 10 000 franc, een aanzienlijke som als je weet dat Stéphane Mallarmé (1842-1898) bij zijn pensionering na dertig jaar leraarschap een jaargeld van 2500 franc ontving. Marie Laurent, die zich in-

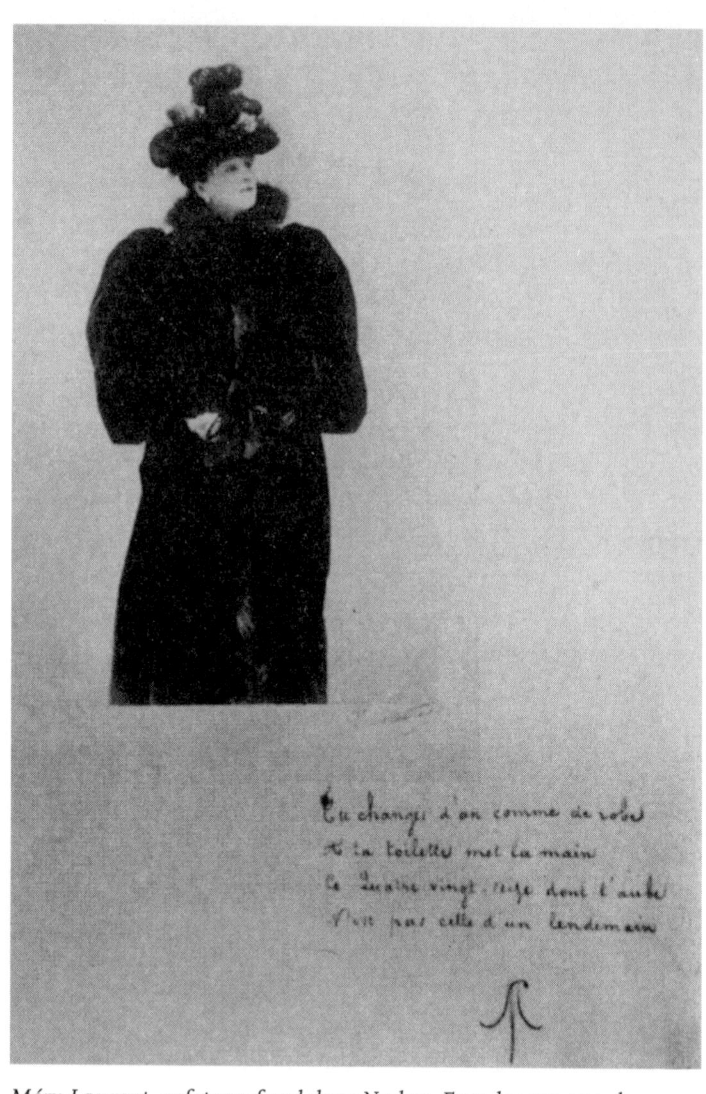

Méry Laurent, gefotografeerd door Nadar. Eronder een van de kwatrijnen die Stéphane Mallarmé haar stuurde.

Stéphane Mallarmé op twintigjarige leeftijd.

middels ter ere van de manier waarop haar minnaar haar naam uitsprak Méry was gaan noemen, woonde ruim een jaar in de rue de Rome toen zich opnieuw een belangrijke gebeurtenis in haar leven voordeed. In 1876 had de jury van de Salon twee schilderijen van Manet geweigerd, waarop Manet een expositie organiseerde in zijn atelier in de rue de Saint-Pétersbourg. Een andere schilder, Alphonse Hirsch, nam haar mee naar de tentoonstelling en daar was het dat een van de geweigerde doeken,

Stéphane Mallarmé, door Nadar.

Le Linge, haar de uitroep 'Mais c'est très bien cela' ontlokte. Manet, die zich in een belendend vertrek bevond, hoorde dat, maakte kennis met haar en was zo onder de indruk dat hij het dagenlang nergens anders meer over kon hebben: 'Er waren vrouwen die wisten, die zagen, die begrepen.' Manet schilderde haar portret en ze werden geliefden. Bij Manet maakte ze kennis met Stéphane Mallarmé en toen Manet in 1883 overleed, ontstond er een innige verhouding tussen haar en de dichter. Uiteraard is er veel gespeculeerd over de aard van die verhouding en er bestaat een brief van Mallarmé, geschreven op 11 september 1889, die lijkt te suggereren dat er op dat moment een einde komt aan hun liefdesrelatie en dat ze verder zullen gaan als goede vrienden. Daar staat tegenover dat Méry Laurent zich tegenover hun wederzijdse vriend Joris-Karl Huysmans heel anders heeft uitgelaten. Huysmans noteerde: 'Ze heeft het tegen me over Mallarmé, over hoe graag ze zijn maîtresse had willen zijn, maar dat hij haar tegenstaat door zijn viesheid. Hij heeft er de nacht doorgebracht en de lakens waren zwart. Nee, nooit. En hij denkt dat hij heel frisgewassen is! – Ik hou veel van hem en wat walg ik van hem – Ik zou voor hem door het vuur gaan, maar dat, nooit! – hij lijdt daaronder en hij snapt het niet.'

In zijn briefwisseling met Méry valt voor sensatiezoekers niets te halen. De brieven van Méry Laurent werden door Mallarmé na lezing ogenblikkelijk vernietigd, dus van die kant viel al weinig te verwachten, en in zijn eigen brieven is totaal geen plaats voor intimiteiten. Over de vertrektijden van de trein naar Clermont gaat het, en over de beste manier om alikruiken te bereiden; het zijn brieven over niets, bedoeld om de leegte op te vullen. Ze hebben een ritueel karakter. Méry Lauren wordt door Mallarmé aangesproken als 'Pauw' en iedere brief opent met een verwelkoming van de pauw, in eindeloze variaties: pauw, pauwtje, kleine pauw, pauwendame, pauwtjelief. In iedere brief wordt ook en al even gevarieerd een kus verstuurd en soms wordt die kus dan ook nog met haar pauw-zijn in verband gebracht: 'Ik kus je veren.' Tussen pauw en kus worden verjaardagen aangekondigd en gevierd, het vertrek van de dame wordt verzacht en haar terugkeer toegejuicht en uit iedere regel blijkt hoe dol Mallarmé op Méry Laurent is. 'Mets n'importe quelle robe,' schrijft hij haar op 15 juli 1888, 'tu les rends toutes roses.' Een mooiere liefdesvriendschapverklaring heb ik zelden gelezen.

Mallarmé schreef niet alleen briefjes om de leegte te vullen. Een andere methode vormen de enveloppen, die hem leken uit te nodigen tot een kwatrijn. Op de oudste bewaarde envelop van een brief aan Méry Laurent (24 mei 1884) lezen we

Laat de Dame met de zoete overwinnaarsgeur
Die mijmert op nummer 9 van de boulevard Lannes
Je openen, o mijn briefje, als een deur
Naar haar hart; haar doorzichtige nagels dromen ervan.

Toen Mallarmé dit excuus om hem van belangrijker zaken af te houden eenmaal had gevonden – in dit verband mag ook het tijdschrift *La dernière mode*, dat Mallarmé een jaar lang vulde met artikelen over kwikjes en strikjes, niet ongenoemd blijven –, was hij niet meer te houden. De laatste vijftien jaar van zijn leven schreef hij zo'n zeshonderd van deze gelegenheidsverzen, de *Vers de circonstance*. Het tot stand komen van zijn fameuze *Livre*, het boek dat alle boeken overbodig zou maken, zal er ernstig onder hebben geleden, maar deze verzen zijn een waar genoegen, speels, vindingrijk en functioneel, want de bij wijze van adres geschreven kwatrijnen verhinderden niet dat de brief aankwam:

In de hoeven, Postbode, snel
Naar de Uitgever van de decadentie,
Léon Vanier, op 19 Quai Saint-Michel,
Huppelt-ie, rent-ie en danst-ie.

Verreweg de meeste van Mallarmés gelegenheidsgedichten zijn voor Méry Laurent. Zij kreeg de mooiste, vooral als zij haar verjaardag vierde, die door Mallarmé op 1 april was vastgesteld. Dit is het kwatrijn dat Méry op haar 40e mocht ontvangen:

Door het wonder van je mooie lach
en van de lente, pauw, zijn we nu pas
terug op de dag voor de dag
dat je nog geen twintig was.

Veertig blijft veertig, maar Mallarmés kwatrijn moet het leed voor Méry draaglijker hebben gemaakt.

De laatste jaren van Paul Verlaine

In 1886, als Paul Verlaine (1844-1896) 42 is, is hij definitief veranderd in 'een mannetje', zoals dat in Amsterdam zo treffend heet. Hij oogt als een clochard, maar terwijl hij zijn vervallen lichaam van café naar café sleept, werkt hij tegelijkertijd aan zijn eigen legende, die van de *poète maudit*, van de dichter die zijn lijf niet langer nodig heeft en alleen nog in zijn verzen wonen kan. Zijn teloorgang is ook een spiegel die hij zijn tijdgenoten voorhoudt en zo wordt hij langzaam maar zeker tot 'le remords vivant des lettres contemporaines', 'het slechte geweten van de dichters die geslaagd zijn in het leven'. Deze rol wordt prachtig geïllustreerd door een anekdote over Verlaine en Leconte de Lisle. Die twee mochten elkaar niet zo en toen ze elkaar een keer tegenkwamen, in de rue de Médicis, bleef Verlaine staan en keek zijn vijand recht in de ogen tot die zich vol walging afwendde en zijn weg vervolgde. Maar Verlaine zette de achtervolging in. Leconte de Lisle vluchtte een café binnen en toen hij daar de doos met de sigaren van vijf sou liet komen, riep Verlaine, die zijn prooi uiteraard niet had losgelaten: 'En geef mij er eentje van acht sou!' Vervolgens achtervolgde hij Leconte de Lisle tot bij zijn huis, waarbij hij zijn wandelstok die aan het uiteinde met ijzer was beslagen tegen de straatstenen liet knallen om vooral goed te laten horen dat hij er nog was.

Als Verlaine niet in de kroeg zit, ligt hij in het ziekenhuis. In die laatste tien jaar heeft hij meer dan drieënhalf jaar in twintig

De laatste foto van Paul Verlaine.

verschillende ziekenhuizen doorgebracht. Hij doet een ontwenningskuur, in Aix-les-Bains, maar het haalt allemaal niets uit, hij zuipt gewoon door. En dan zijn er ook nog de hoeren met wie hij samenwoont, eerst Marie Gambier en daarna, elkaar voortdurend afwisselend, Philomène Boudin, beter bekend als Esther, en Eugénie Krantz, oftewel Mouton. Met Esther – en ik vertel dit om een beeld te geven van Verlaines verregaande masochisme – woont hij enige tijd in het Hôtel de Montpellier, in de rue Descartes. Niet alleen laat Esther/Philomène hem daar iedere dag een aantal uren alleen om op straat haar beroep uit te oefenen, het hotel wordt ook nog eens gedreven door haar pooier die tevens haar minnaar is.

Verlaine schreef voor Esther/Philomène de prachtige *Odes en son honneur*. Dit is de laatste van de reeks. De vertaling is van Peter Verstegen:

Ik hoor ze van jouw ontrouw spreken,
Ten eerste, wat gaat hun dat aan
Als je een eed besloot te breken,
Lichtmis, die je nooit hebt gedaan?
Ik hoor dat je gemeen bent tegen
Mij, tegen een zo eerbaar man!
Gemeen jij! Beter maar gezwegen!
Die ouwe deun, ik gruw ervan.

Gemeen jij, die mij steeds bedeelde
Met je zo feestelijke lach?
Mijn koningin, want uit jouw weelde
Put ik mijn schatten, dag na dag.

Trots denken zij mee te delen,
Liefje, dat jij niet van me houdt.
Ik heb je lach, wat kan het schelen,
Trouwens, niet van mij houden... Zou 't?

Je houdt niet van me? En toch geef je
Je mooi, groot lichaam aan mij vrij?
Dat geef je mij, want zo gul leef je
In heel je weligheid voor mij.

Je houdt niet van me? Ach, het kan me
Niet schelen wat er wordt gepraat.
'Jij misschien niet, maar ik houd van je.'
– En jij houdt van mij metterdaad.

Paul Verlaine op de rug gezien. Karikatuur van Cazals.

Af en toe maakt Verlaine een literaire tournee, naar Nederland bijvoorbeeld, waar hij de Tachtigers ontmoet, en naar Engeland. Tijdens zijn laatste Engelse reis kiest hij definitief voor Eugénie Krantz en vanaf dat moment is het duidelijk dat de dood op de loer ligt. Hij doet een poging gekozen te worden in de Académie française, maar net als Zola krijgt hij geen enkele stem. Als dokter Massary hem een keer 's morgens om acht uur tegenkomt en hem vraagt hoe het met hem gaat, zegt Verlaine: 'Niet slecht, dank u wel, alleen, ik ben een tikje aangeschoten. Maar dat is niet zo gek, want wie is dat niet op dit uur?' En dan is er de onvergetelijke scène, door Jules Renard beschreven in zijn *Dagboek*, waarin Verlaine geheel aangekleed in bed ligt, zijn vieze schoenen steken onder de dekens uit. Het enige dat hij nog uit kan brengen zijn de woorden 'Hou! Hou!' Op zijn nachtkastje ligt een deel Racine.

Zijn laatste dagen slijt Verlaine met Eugénie Krantz op een etage in de rue Descartes, waar hij zich amuseert door alle meubelen, de bloemenvazen en eierdopjes en zelfs zijn eigen penhouder met goudverf te beschilderen. Op 8 januari 1896 sterft hij in aanwezigheid van Eugénie Krantz en de jeugdige schilder Cornuty. Zijn laatste woord is 'François'.

Eugénie Krantz zal in de weken die volgen tientallen pennen verkopen als zijnde de pen van de Meester, met name aan Engelse toeristen.

Rimbaud scholier

In het leven van Arthur Rimbaud (1854-1891) wisselen pogingen om de wereld aan zijn voeten te krijgen zich af met pogingen aan diezelfde wereld te ontsnappen. Zijn eerste vlucht, naar Parijs, is gedateerd op 29 augustus 1870, hij was toen vijftien. Voor die tijd was hij vooral op zoek naar roem. Zo schreef hij op zijn twaalfde een gedicht van zestig hexameters waarin hij de Franse kroonprins feliciteerde met zijn eerste communie op 8 mei 1868. De verzen zijn verloren gegaan, maar we weten dat Rimbaud ze in het diepste geheim heeft geschreven en opgestuurd. We hebben dus niet te maken met de spontane geste van een enthousiaste puber, maar met een berekende actie. Als het keizerlijk hof niet reageerde, was er geen man overboord omdat niemand van de verzen wist, maar als er wel een reactie kwam, zou dat voor de scholier een dubbele triomf zijn. Hij had bereikt wat hij wilde, en zonder hulp.

De reactie kwam, maar uit een brief die Edouard Jolly, de zoon van de boekhandelaar op de place Ducale te Charleville, op 26 mei 1868 naar zijn broer stuurde, was de inhoud niet helemaal zoals gehoopt (en verwacht, denk ik): 'De gouverneur van de prins heeft hem zojuist teruggeschreven en hem gezegd dat Zijne Majesteit geraakt was door zijn brief, dat hij net als hij leerling was en dat hij hem van harte zijn foute verzen vergaf. Dat was een lesje voor onze Rimbault, die een streek had willen uithalen door te laten zien wat hij kan. De gouverneur heeft hem geen complimentjes gemaakt.'

Dit is een van de weinige getuigenissen over de jonge Rimbaud die niet gekleurd zijn door zijn latere roem en ik denk dat we veilig kunnen aannemen dat het daardoor komt dat hij zo afwijkt van de visie van jeugdvrienden als Ernest Delahaye, Ernest Millot en Paul Labarrière.

Jean Nicolas Arthur Rimbaud werd geboren op 20 oktober 1854. Zijn vader was Frédéric Rimbaud, kapitein bij de infanterie, een verdienstelijk en meermalen onderscheiden officier. Hij maakte campagnes mee op de Krim en in Noord-Afrika en in 1850 werd hij overgeplaatst naar Mézières, het vestingstadje dat aan Charleville vastzit. Daar ontmoette hij Vitalie Cuif, de dochter van een redelijk welgesteld grondeigenaar.

Rimbaud had weinig herinneringen aan zijn vader. Aan Delahaye vertelde hij over echtelijke ruzies waarbij zijn vader en moeder om beurten een zilveren schaal op de grond smeten. Toen hij zes was, gingen zijn ouders uit elkaar en Rimbaud heeft zijn vader, die in 1878 in Dijon is overleden, nooit meer gezien.

Na het vertrek van zijn vader noemde zijn moeder zich een weduwe. Ze regeerde met strenge hand over het gezin (Arthur had een oudere broer, Frédéric, en twee jongere zusjes, Vitalie en Isabelle). In 1864 – Rimbaud was toen acht – werd hij naar het Institut Rossat gestuurd. Daar schreef hij in 1868 in een piepklein werkschrift zijn oudste bewaard gebleven teksten, heel vermakelijk en interessant omdat ze ons niet alleen een wel zeer dwars wonderkind tonen, maar vooral omdat ze een onthutsende blik bieden op wat komen gaat:

Van studeren, dat wil zeggen van lezen, rekenen, hield ik niet erg, maar een huis opruimen, een tuin bijhouden, 's morgens vroeg boodschappen doen! – dat vond ik leuk. Waarom – zo vroeg ik me af – Grieks, Latijn leren? Ik weet het niet! Tenslotte heb je dat niet nodig. Wat kan 't mij schelen of ik slaag. Ik wil geen baan, ik word rentenier. En als je toch een baan zou willen, waarom zou je dan Latijn leren? Niemand spreekt die taal. Soms zie je Latijn in de kranten, maar godzijdank word ik geen journalist. Waarom geschiedenis en aardrijkskunde leren? Natuurlijk moet je weten dat Parijs in Frankrijk ligt, maar op welke breedtegraad wordt nooit gevraagd. Het is een ellende om bij geschiedenis het leven van Chinaldon, Nabopolassar, Darius, Cyrus, Alexander en al die andere figuren die zich vooral door hun verduivelde namen onderscheiden te leren. Wat kan 't mij schelen dat Alexander beroemd is geweest. Wat kan 't me schelen? Hoe weet je of de Romeinen eigenlijk wel echt hebben bestaan? Misschien is hun Latijn wel een bedachte taal; en ook al hebben ze bestaan, laten ze mij dan maar rentenieren en hun taal voor zichzelf houden. Wat heb ik ze gedaan dat ze me zo willen straffen? Laten we het eens over Grieks hebben. Die rottaal wordt door niemand op de hele wereld gesproken. O! Sakkerloot, sakkerdesakkerdeloot! Drommels! Ik word rentenier. Het heeft geen zin je broeken op schoolbanken te verslijten, sakkerdesakkerdelootjes! Om schoenpoetser te worden, de baan van schoenpoetser te verwerven, moet je examen doen! De banen die je kunt krijgen zijn of schoenpoetser of zwijnenhoeder of koeiendrijver. Godzijdank wil ik ze niet hebben, sakkerloot! En als beloning krijg je dan nog een draai om je oren. Ze noemen je een beest, en dat is niet waar. O, sakkerdesakkerdeloot. (Wordt vervolgd) Art.

Zodra Rimbaud het Institut Rossat heeft verruild voor het Collège van Charleville gaat zijn roer dramatisch om. Tijdens zijn schooljaren zal Rimbaud met name via het Latijn roem vergaren. In 1868 wordt een van zijn gedichten in het Latijn, op 6 november in drieënhalf uur tijd als taak geschreven, gepubliceerd in de *Moniteur de l'Enseignement secondaire, spécial et classique*, het *Bulletin officiel de l'Académie de Douai*.

Hoe goed Rimbaud was in het vervaardigen van verzen in het Latijn blijkt uit het verhaal van een oud-leerling van de school, Jules Delahaut: 'Terwijl een van ons op het bord een paar

Arthur Rimbaud en zijn broer Frédéric tijdens hun eerste communie.

geometrische theorema's liet zien, maakte Rimbaud in enkele ogenblikken een aantal stukken in Latijnse verzen. Iedereen kreeg zijn eigen exemplaar. De titel was natuurlijk dezelfde, maar de manier waarop de verzen in elkaar zaten, de ideeën en de ontwikkeling waren zo verschillend dat de leraar niet kon zien dat ze van een en dezelfde hand waren. Het was een ware tour de force, zeker gezien de tijd die hij eraan besteedde. En ik kan je verzekeren dat dit zich regelmatig herhaalde.'

In 1869 publiceerde de Académie van Douai nog twee werkstukken van Rimbaud. Het tweede was 'Invocation à Vénus', een vertaling uit *De rerum natura* van Lucretius. Pas in de jaren dertig van de twintigste eeuw werd ontdekt dat Rimbaud hier een vertaling van Sully Prudhomme had gebruikt, die hij en passant hier en daar aanzienlijk verbeterde.

Is hier sprake van een grap, moeten we de veertienjarige van diefstal beschuldigen of overdacht Rimbaud toen al de alchemie van het woord?

Aan het einde van dit schooljaar kwam Rimbauds grootste triomf. Hij werd ingeschreven voor het openbare examen van de Académie van Douai, waaraan Collèges uit heel Noord-Frankrijk deelnamen en dat op 2 juli 1869 plaatsvond in Charleville. De abbé Morigny die erbij aanwezig was, heeft de gebeurtenissen beschreven:

Het examen had plaats tussen zes en twaalf uur. Al om halfzes hadden de leerlingen het met elkaar over het onderwerp dat ze zouden opkrijgen.

'Ik wed,' zei een van hen, 'dat het de Wereldtentoonstelling wordt.'

Rimbaud protesteerde:

'Dat zou echt een te slechte grap zijn,' zei hij.

Om zes uur kwam meneer Desdouets de studiezaal binnen, maakte een map open en zei:

'Het onderwerp is "Jugurtha". Dat is alles.'

'Maar het stramien?'

'Er is geen stramien.'

De directeur trok zich terug, gevolgd door enkele ontmoedigde leerlingen.

Rimbaud bleef roerloos zitten, dromerig, ver met zijn gedachten. Om negen uur had hij nog geen regel geschreven.

Meneer Desdouets, die teruggekomen was, verbaasde zich daarover:

'En Arthur? Is de muze...?'

'Ik heb honger,' zei Arthur.

De directeur gaf de conciërge opdracht hem een paar boterhammen te brengen. Op zijn gemak begon hij te eten, zonder zich te bekommeren om het onderdrukte gelach om hem heen. Toen hij klaar was, pakte hij zijn pennenhouder en schreef in één ruk, zonder zijn poëziewoordenboek te raadplegen.

Om twaalf uur leverde hij zijn werk in.

'Maar hiervoor heb je geen tijd genoeg gehad,' zei de gymnastiekleraar die had gesurveilleerd.

Meneer Desdouets zette zijn bril op en bekeek het werk en triomfantelijk riep hij uit: 'Wij gaan winnen, ik weet het zeker.'

Behalve het Concours Académique won Rimbaud dat jaar ook op het Collège vrijwel alle eerste prijzen. Hij was een modelleerling, de trots van het Collège de Charleville.

Uiteraard kon dat niet duren.

1870 werd het jaar dat de sluizen opengingen, het jaar dat Rimbaud Rimbaud werd.

Wie een indruk wil krijgen van wat er in korte tijd allemaal met de vijftienjarige gebeurde, kan het beste de Oeuvre vie-uitgave van Alain Borer ter hand nemen om de kale teksten, zoals daar gepresenteerd, op rij te lezen.

Het is verbazingwekkend te zien welke terreinen Rimbaud allemaal bestrijkt. De reeks teksten opent met een als huiswerk gemaakte vertaling, enkele opstellen en mondt dan via het verhaal 'Un coeur sous un soutane' en wat journalistiek werk uit in een reeks gedichten, waaronder klassiekers als 'Sensation', 'Le Dormeur du Val', 'Le Buffet', 'La Maline', 'Ma Bohème' en 'Vénus Anadyomène' (de vertaling is van Hilde Ketelaar):

Venus anadyomène

Als uit een groene blikken doodskist komt er uit
Een badkuip, groezelig, een vrouwenhoofd gerezen,
Traag en stompzinnig, sterk gepommadeerd en bruin
Het kapsel, slordig opgelapt zijn de gebreken;

Dan vet en vaal de hals, de brede schouderbladen
Die steken uit; de korte rug tweemaal gekromd.
Gestapeld vet schuilt onderhuids in lagen;
En kijk, de lendenen lijken ongeremd gerond...

De ruggengraat ziet lichtjes rood en het geheel
Doet vreselijk vreemd aan, – er zijn vooral heel veel
Merkwaardige details die naar een loep doen graaien...

De tatoeage op de lenden: Clara Venus;
– En als dit lichaam met de kont begint te draaien
Afstotend mooi de etterpuist daar op de anus.

Op 2 januari 1870 werd in de *Revue pour tous* zijn 'Les Étrennes des orphélins' gepubliceerd. Een mooi begin van het jaar, maar belangrijker is de benoeming, op 12 januari, van Georges Izambard tot 'professeur de Rhétorique' op het Collège de Charleville. Izambard is niet veel ouder dan Rimbaud, zes jaar om precies te zijn, en hij schreef verzen. Het contact tussen leerling en leraar is ogenblikkelijk en intens. In haar biografie geeft Enid Starkie een tot nadenken stemmende beschrijving van hun relatie. 'Weldra,' schrijft ze, 'zag Izambard het verlegen jongetje ook buiten schooluren en vond in hem onverwacht boeiend gezelschap – Arthur wachtte vaak op hem bij de schoolpoort, zoals een dweperig schoolmeisje wacht op een geliefde lerares, om met hem naar huis te lopen, dankbaar dat hij Izambards boeken mocht dragen.'

Starkie ziet hier geen kwaad, maar de moeder van Rimbaud

was er al snel van overtuigd dat Izambard een slechte invloed op haar zoon had. Ze protesteerde bij hem dat hij Rimbaud boeken van staatsvijand Victor Hugo had geleend. Ze beklaagde zich zelfs bij de directeur van de school. Izambard ging met haar praten, maar mevrouw Rimbaud bleef op haar hoede. Niet zo gek als we weten dat haar engelachtige zoon via Izambard in contact kwam met zijn vele jaren oudere vrijgezellenvrienden Léon Deverrière en Charles Bretagne. Deverrière was een keurige leraar filosofie aan het Institut Rossat, maar Bretagne was uit ander hout gesneden. Hij was een oude drinkmaat van Verlaine en hij spuugde er nog steeds niet in. Hij sleepte Rimbaud mee de kroegen in, trakteerde hem op bier, tabak en wijze lessen. Via Bretagne kwam Rimbaud in contact met alchemistische ideeën en esoterie in het algemeen.

Leende Bretagene hem boeken over alchemie, de poëzie kwam via Izambard binnen handbereik. In korte tijd las Rimbaud *Les Fleurs du mal* van Baudelaire en de *Fêtes galantes* en de *Poèmes saturniens* van Verlaine. Izambard leende hem ook zijn afleveringen van *Les Parnassiens Contemporains* die verschenen onder redactie van Théodore de Banville en op hem schoot Rimbaud zijn eerste literaire pijlen af. De brief die hij hem op 24 mei stuurde is in zijn volstrekt oprechte huichelarij puur Rimbaud:

Charleville (Ardennes), 24 mei 1870

Cher Maître,

We zijn in de maand van de liefde; ik ben zeventien. De tijd van de hoop en de dromen, zoals men zegt – en ik, een kind dat door de vinger van de Muze is aangeraakt, – vergeef me als dit een gemeenplaats is – ben begonnen uitdrukking te geven aan mijn geloof, mijn hoop en mijn gevoelens, al die dichtersdingen – ik noem het gewoon lente.

Als ik u via Lemerre, die goede uitgever, deze paar

gedichten doe toekomen, is dat omdat ik van alle dichters, van alle ware Parnassiens houd – want de dichter is een Parnassien – met liefde voor de volmaakte schoonheid; dat is wat ik in U bewonder, heel naïef natuurlijk, een afstammeling van Ronsard, een broer van onze meesters van 1830, een echte romanticus, een echte dichter. Dat is waarom... Dwaas niet, maar is het anders? ... Over twee jaar, over een jaar misschien ben ik in Parijs.

... Anch'io, heren van de krant, ik word Parnassien! ... Ik weet niet wat het is... wat naar boven komt... Ik zweer, cher Maître, dat ik de twee godinnen, de Muze en de Vrijheid altijd zal vereren.

Frons uw wenkbrauwen niet al te zeer als u deze verzen leest:... U zou me gek van vreugde en hoop maken, als u, cher Maître, tussen de Parnassiens een plekje zou willen maken voor Credo in unam... Ik zou in de laatste serie van de Parnasse komen: het zou het Credo van de dichters worden! ... Eerzucht! Krankzinnige! Eerzucht!

Rimbaud geeft dan de volgende verzen 'Par les beaux soirs d'été' (20 april 1870), 'Ophélie' (15 mei 1870), 'Credo in unam...' (29 april 1870) en besluit:

Als deze gedichten een plaats in de *Parnasse contemporain* zouden vinden?
– Zijn ze niet het geloof van de dichters.
– Ik ben onbekend; maar wat geeft dat? Dichters zijn broeders. De verzen geloven; ze hebben lief; ze hopen; dat is alles.
– Cher Maître, help: verhef me een beetje: ik ben jong: reik mij de hand...

Banville plaatste de gedichten niet (wat ook niet eenvoudig was geweest, want de dichters die aan de *Parnasse contemporain* meewerkten, werden geacht de kosten van plaatsing te betalen), maar hij heeft de brief wel zijn hele leven bewaard, ook na zijn

Arthur Rimbaud.

minder aangename ervaringen met Rimbaud toen die eenmaal in Parijs was beland. De ironie van het geheel is natuurlijk dat we ons de toen zo beroemde Banville tegenwoordig vooral herinneren als de dichter die door Rimbaud werd aangeschreven.

Rimbaud was dat schooljaar opnieuw goed voor zeven eerste prijzen en het Concours Académique (de opdracht was 'Toespraak van Sancho Panza tot zijn dode ezel') werd ook weer door hem gewonnen. Het waren zijn laatste oprispingen van braafheid.

geeft om naar de kapper te gaan, bedankt hij de goede gever en stapt vervolgens de tabakswinkel binnen, waar hij volgens Delahaye voor het geld 25 gram *scaferlati*, grofgesneden shagtabak, koopt. Hij rookt de tabak uit een pijp waarvan hij de kop naar beneden gedraaid houdt, iets wat indertijd grote indruk maakte en als iets ergs werd ervaren, waarom weten we niet meer. Hij schrijft 'merde à dieu' op de muren en hangt in kroegen rond.

Op 24 of 25 februari ging Rimbaud er voor de derde keer vandoor. Hij verkocht zijn zilveren horloge en stapte op de trein. Volgens Delahaye werd hij vergezeld door een meisje. Ze zouden hun eerste nacht in Parijs samen op een bank aan een van de boulevards hebben doorgebracht en daarna zou Rimbaud haar zijn geld hebben gegeven zodat zij naar haar familie kon gaan. Verder is over deze geschiedenis niets bekend.

Rimbaud zelf begaf zich naar de rue Bonaparte, waar La Librairie artistique was gevestigd, de uitgeverij die *Les Glaneuses*, het poëziedebuut van Paul Demeny, had uitgebracht. Nieuws over Demeny konden ze Rimbaud niet geven, maar wel slaagde hij er in het adres te bemachtigen van de beroemde karikaturist André Gill, die op de boulevard d'Enfer (de huidige boulevard Raspail) woonde. Gill was niet thuis, maar de sleutel lag op de deurlijst en nadat Rimbaud zich toegang tot het atelier had verschaft, viel hij op een divan in slaap. Toen Gill thuiskwam, vertelt Rodolphe Darzens in zijn voorwoord bij *le Reliquaire*, de eerste uitgave van Rimbauds verzen, vroeg hij wat de jongen daar deed? 'Ik ben dichter,' antwoordde Rimbaud, 'en ik droom mooie dromen.' 'Als ik mooie dromen droom,' zou Gill hebben geantwoord, 'doe ik dat in mijn eigen bed.'

Rimbaud bleef nog een paar dagen in Parijs, waar hij zich voedde uit de vuilnisbakken en sliep in de kolenschuiten op de Seine.

Op 26 februari werd de wapenstilstand afgekondigd en terwijl Parijs zich opmaakte voor de Commune keerde Rimbaud te voet terug naar Charleville. Delahaye heeft altijd gezegd dat Rimbaud in Parijs was tijdens de Commune en dat hij zelfs de

Bloedige Week heeft meebeleefd, maar de feiten spreken hem in dezen op alle punten tegen. Dat het verhaal van Rimbaud en de Commune altijd weer opduikt, zal ermee te maken hebben dat het onvoorstelbaar lijkt, dat hij hét moment in de geschiedenis van zijn tijd, dat zijn eigen leven lijkt te symboliseren, heeft ontlopen. Een tweede reden is gelegen in het gedicht 'Le Coeur volé', waarvan gesteld wordt dat het is gelieerd aan een homoseksuele ervaring. Na de postume heiligverklaring, waarin zelfs de seksuele kant van zijn verhouding met Verlaine werd ontkend, kon die 'ervaring' uiteraard niet vrijwillig zijn geweest. Ergo, Rimbaud is verkracht en wel in een gevangenis of kazerne, waarvan overigens nooit is vastgesteld dat hij er is geweest. De gevangenis of kazerne bevond zich in Parijs en omdat is aangetoond dat Rimbaud daar tijdens zijn eerdere bezoeken aan Parijs niet is geweest, moet het dus wel zijn gebeurd tijdens de periode waarover we niet kunnen aantonen dat hij in Parijs is geweest. De mogelijkheid dat 'Le Coeur volé' een eerdere homoseksuele ervaring verwoordt, lijkt mij eerlijk gezegd veel voor de hand liggender en ook meer in overeenstemming met het feit dat hij het gedicht op 13 mei 1871 vanuit Charleville aan Izambard stuurt. Het gedicht markeert overigens de verwijdering tussen hem en Izambard. 'Dit betekent niet niets,' zegt Rimbaud aan het einde van zijn brief over zijn gedicht:

Bestolen hart

Mijn trieste hart kwijlt aan de achtersteven,
Mijn hart bedekt met pruimtabak:
Met sloten soep staan ze het naar het leven,
Mijn trieste hart kwijlt aan de achtersteven:
De troep bespot mij heel bedreven,
En gaat van het lachen uit zijn dak:
Mijn trieste hart kwijlt aan de achtersteven,
Mijn hart bedekt met pruimtabak!

Ithyfallisch en soldatesk
Heeft hun spot mijn hart beklad!
Je ziet hun fresco's achterdeks,
Ithyfallisch en soldatesk:
O golven, abracradabrantesk
Neem mijn hart, geef het een bad!
Ithyfallisch en soldatesk
Heeft hun spot mijn hart beklad!

Als zij door hun pruimen heen zijn,
O wat te doen, bestolen hart?
Wordt het een bacchantisch hikfestijn?
Als zij door hun pruimen heen zijn:
Mijn maag krijgt oprispingen van pijn,
Ik, en mijn vernederd hart:
Als zij door hun pruimen heen zijn,
O wat te doen, bestolen hart!

Izambard neemt Rimbauds waarschuwing overigens niet serieus en reageert met een persiflage die door Rimbaud op zijn beurt wel ernstig wordt genomen. Hij zal Izambard nog één keer schrijven, op 12 juli 1871, als hij geld nodig heeft om een schuld bij een boekwinkel te betalen, daarna zal Izambard voorgoed uit zijn leven verdwijnen.

Op 10 maart 1871 was Rimbaud terug in Charleville. In zijn brief van 13 mei aan Izambard schrijft hij: 'Ik laat me, heel cynisch, onderhouden. Ik teer op iedere imbeciel die ik nog van school ken: ik lever ze alles wat ik maar kan verzinnen aan stoms, smerigs, slechts, in woorden en in daden: ik word betaald in bier en wijn.'

Half april werd aangekondigd dat het Collège de Charleville de lessen ging hervatten. Niet in het schoolgebouw, dat nog als ziekenhuis in gebruik was, maar in de schouwburg. Rimbaud motiveerde zijn weigering naar school terug te gaan met de mededeling dat hij zich absoluut niet tot het toneel voelde aan-

Arthur Rimbaud, getekend door Ernest Delahaye.

getrokken. Toen zijn moeder hem voor de keus stelde, kostschool of opvoedingsgesticht, ging hij in een verlaten steengroeve wonen, waar Delahaye hem van brood en tabak voorzag.

Rimbaud zou niet meer naar school terugkeren. Hij schreef en zon op een manier om definitief aan Charleville te ontsnappen. In september slaagde hij erin met de als dichter naam makende Paul Verlaine contact te krijgen. Rimbaud kende Verlaines *Poèmes saturniens* en *Fêtes galantes*. Hij had zich over allebei lovend uitgelaten, dus hij loog niet toen hij Verlaine zijn eerste, bewonderende brief schreef. De brief is verloren gegaan. Maar uit Rimbauds tweede brief is een fragment overgeleverd:

Ik heb het plan opgevat een lang gedicht te schrijven, en in Charleville kan ik niet werken. Ik kan niet naar Parijs komen, omdat de middelen mij ontbreken. Mijn moeder is weduwe en uiterst vroom. Ze geeft me maar tien centimes elke zondag om mijn stoel in de kerk te betalen.

Verlaine was diep onder de indruk van de 'angstaanjagende schoonheid' van de verzen die Rimbaud hem had gestuurd. Bijna honderddertig jaar later is dat nog goed navoelbaar. Rimbauds gedichten slaan nog altijd in als de bliksem en wie er eenmaal mee geïnfecteerd is, komt er nooit meer van los. Verlaine zou tot zijn dood met Rimbaud bezig blijven.

Na Rimbauds brief begon Verlaine meteen een inzameling onder zijn vrienden om het geld bijeen te brengen dat Rimbaud in staat zou stellen Charleville te verlaten. Tot de contribuanten behoorden Léon de Valade en Charles Cros. Toen Verlaine het financiële gedeelte op orde had, stuurde hij Rimbaud een brief, waaruit een zin bewaard is gebleven:

Kom, dierbare, grote ziel, wij roepen u, wij verwachten u.

In de derde week van september 1871 was het zover. Een paar weken voor zijn zeventiende verjaardag vertrok Rimbaud naar Parijs.

Wat volgt is een van de grote scènes uit de geschiedenis van de Franse literatuur. Op de dag dat Rimbaud in Parijs zou aankomen, begaven Verlaine en Cros zich naar het gare de Strasbourg om hem op te halen. Of het nu kwam doordat ze te vroeg of te laat waren, of doordat ze niet wisten hoe Rimbaud eruitzag, in ieder geval liepen ze hem mis. 'Nadat we het hele stuk van de boulevard Magenta tot aan het eind van de rue Ramey al vloekend, God weet hoe!, over onze pech waren teruggelopen,' zou Verlaine vele jaren later schrijven, 'troffen we hem aan, in rustig gesprek met mijn schoonmoeder en mijn vrouw, in de zitkamer van het huisje van mijn schoonvader in de rue Nicolet, onder aan de Butte Montmartre.'

In zijn *Nouvelles Notes sur Rimbaud* schreef Verlaine: 'Avondeten. Onze gast deed vooral de soep eer aan en bleef tijdens de maaltijd nogal zwijgzaam, slechts spaarzaam antwoord gevend aan Cros, die zich die eerste avond wel erg ondervragerig betoonde en als analist zelfs zover ging dat hij hem vroeg hoe hij op een bepaald idee was gekomen, waarom hij liever dit dan dat woord had gebruikt en in zekere zin van hem verlangde dat hij rekenschap zou afleggen van de "genese" van zijn gedichten.

De ander, die ik nooit als veelprater heb gekend, zelfs niet als erg mededeelzaam in het algemeen, antwoordde slechts met nogal verveeld uitgesproken eenlettergrepige woorden.' De enige uitspraak van Rimbaud die Verlaine zich later zou herinneren, luidde: 'Les chiens, ce sont des liberaux.'

De volgende morgen ontdekte Verlaines vrouw luizen op het hoofdkussen van Rimbaud. Het was allemaal een bescheiden aankondiging van wat te gebeuren stond. Binnen enkele weken zou de zestienjarige Rimbaud Verlaine meeslepen in een orgie van poëzie, drank, seks en blinde razernij. Pas nadat Verlaine een kleine twee jaar later, op 10 juli 1873, op een hotelkamer in Brussel een kogel op zijn geliefde had afgevuurd en in de gevangenis belandde, keerde de rust terug.

Het lange gedicht dat Rimbaud aankondigde in zijn tweede brief aan Verlaine zat toen hij in Parijs aankwam in zijn binnenzak. 'Le Bateau ivre' maakte Rimbaud in één klap tot een literaire sensatie (de vertaling is van J.P. Guépin):

De dronken boot

Toen ik dan meedreef op de rustige Rivieren,
Zag ik de jagers langs het pad de laatste maal:
Roodhuiden hadden om hun werplust bot te vieren,
Hen naakt gespijkerd aan de bonte totempaal.

Of ik bemanning had of niet, 't kon mij wat schelen,
Gestouwd met Engelse katoen of Hollands graan.
Toen ik van 't slepersvolk 't gekijf niet meer kon velen,
Lieten de Stromen mij, waar ik maar wilde, gaan.

Die winter, dover nog dan hersenen van knapen,
In 't woedend klotsen van de ongetoomde vloed,
Liep ik! En niet hadden de losgeslagen kapen
Zo triomfantelijk een baaierd ooit ontmoet.

De stormen zegenden mijn maritieme wake;
Zo menig slachtoffer, werd, zegt men, opgelicht;
Ik miste niet het oog van een onnozel baken,
En danste op de zee als een stuk kurk zo licht.

Zoeter dan voor een kind een rinse appel lekte
Het groene water door het vurenhouten boord,
Het wies het braaksel en de wijn die mij bevlekten,
En wierp de helmstok en het anker overboord.

Melkwitte zeeën wier vonken op sterren leken,
Ik heb van toen af aan me in uw Gedicht gebaad,
Het groen azuur, waar als een losgeslagen bleke
Dobber een drenkeling soms peinzend ondergaat.

Waar, plotseling het blauw verkleurend, als vervoering
En zachte stuwing in het ochtendgloren groeit,
Sterker dan alcohol, dan lyrische ontroering,
De bittere, rosse gloed van liefde gist en broeit!

'k Zag bliksemschichten in gebarsten hemels wuiven,
Grondzeeën, hozen en de stroom: ik ken de nacht,
Zonsopgangs hoge vlucht zoals een schare duiven,
En soms heb ik gezien wat de mens te zien dacht!

Ik zag de zon heel laag, getekend met mystieke
Ontzetting schijnen op een paarse zee die stolt.
De golven lijkend op acteurs in zeer antieke
Tragedies, klepperend van verre aangerold!

Ik zag in droom de kus die langzaam tracht te raken
De ogen van de zee, de nacht door sneeuw verdwaasd,
Van 't zingende fosfor het geel en blauw ontwaken,
Het ongehoorde sap dat in zijn omloop raast!

Ik volgde maandenlang de stormloop van de deining,
't Hysterische gemelk. Wie gelooft dat, opgeschrikt,
De Oceaan, ooit door de lichtende verschijning
Van een Maria, met de muilkorf werd gestrikt?

Fantastisch Florida! Verneemt hoe ik daar ogen
Van pantermensen uit de bloemen kijken wist!
En onder 't oppervlak der zeeën regenbogen
Gespannen als een toom van blauwe kudden vis!

Ik zag geweldige moerassen gisten, fuiken,
Waar rottend in het riet een Leviathan stak!
Ik zag de verten in de afgrond onderduiken,
De ingestorte golf bij plotselinge blak!

Gletschers, zilveren zon, de luchten laaiend, branding
Van paarlemoer – terwijl een schurftig gekrioel
Van slangen uit de boom valt: walgelijke stranding
Temidden van het vuil der bruine modderpoel!

Ik wilde kinderen graag die goudmakrelen tonen
Van blauwe baar, die vis van goud, zingende vis,
– Mijn vaart op drift geraakt, die schuimbloemen omzomen,
De onuitspreekbare wind die vaak mijn vleugel is.

Soms liet, een martelaar vermoeid door pool en tropen,
De zee, waarvan de snik mijn zoete slingering was,
Tot mij haar schaduwbloem met gele zuignap lopen,
Terwijl ik als een vrouw geknield toeschouwer was...

Schier 'n eiland, kaatsend op mijn boord de ruziekreten
De mest van vogeltroep wier blonde oogbal grijnst,
Zo dobberde ik, terwijl door mijn te zwakke reten
Een moede drenkeling soms daalt, teruggedeinsd.

Welnu een schip gestremd onder het haar van kreken,
Door storm gestuwd in lucht waarin geen vogel was;
– Geen Monitor of Kog zou hebben omgekeken
Naar een van water zo beschonken scheepskarkas;

Die vrij, smokend, bezet met purperen bliksemschichten,
Mij in de hemel boor, roodachtig als een muur
Die draagt, een lekkernij voor werkelijke dichters,
Als tooi korstmossen zon en snotslierten azuur;

Die liep, terwijl zwarte zeepaardjes om mij stoeien,
Een dolle kiel, met een snoer van maantjes betraand,
Toen blauwe luchten in de hete trechters vloeien
Met knuppelslagen liet zo menig julimaand;

Die beefde toen ik hoorde op vijftig mijlen kermen
Die geile Behemoth en hoe de Maelstroom draait,
Die altijd over 't strak azuur zou blijven zwermen,
Ik denk vol spijt aan 't oud Europa, aan de kaai!

De sterrenarchipel heb ik gezien, het eiland
Waar de uitzinnige lucht de zwerver open wacht;
– In die nacht zonder grond, slaapt gij, verbannen heiland,
Miljoen vogels van goud, o toekomstige Kracht? –

Maar stil, te veel geweend! De ochtend is verlamming,
De maan is steeds te wreed, de zon is steeds te wrang:
Uit bitse liefde zwol extatische verstramming.
O barste mijn kiel! O dat de zee mij vang!

Wenste in Europa ik een water, dan een waar een
Kind op zijn hurken dat boordevol droefheid was,
Een breekbaar bootje als een meivlinder liet varen
In geurige schemering, een zwarte en koude plas.

Ik kan niet meer, gebaad o golven, in uw zwijmen,
De kille trots van vuur en vlaggenpracht weerstaan,
De snelle vaart van de katoenklippers verkleinen,
Het angstaanjagend oog van de galei ontgaan.

Rimbaud in Afrika

Aden

Het is augustus 1880 als Rimbaud in Aden aankomt. Hij komt van Cyprus, waar hij onder mysterieuze omstandigheden de benen heeft genomen. De Italiaanse koopman Ottorino Rosa, die Rimbaud zowel in Aden als in Harar heeft meegemaakt, schreef er later over: 'Hij was er nog maar net toen een ongeluk, dat een inboorling het leven kostte, hem dwong er zo vlug mogelijk vandoor te gaan op een schip dat naar Egypte vertrok.' Rimbaud belandde in Alexandrië. Via het Suezkanaal trok hij naar de Rode Zee, waar hij in alle havenplaatsen zonder succes werk zocht, Jedda, Suakin, Massawa, Hudaida. In Aden landde hij op Steamer Point. De eigenlijke stad lag zeven kilometer van de haven vandaan. De weg ernaar toe leidde langs de Bunker, die iedere dag honderd ton kolen leverde aan de schepen die kwamen bunkeren. Het werk werd er gedaan door Somaliërs, die de enorme zakken kolen versleepten bij het geluid van een trommel waarop werd geslagen met het bot van een kalfspoot. Regelmatig wentelden de mannen zich in het kolengruis om hun zweet in te dammen. 'Aden,' schrijft Rimbaud naar huis, 'is een vreselijke rots, zonder een sprietje gras of een druppel fris water.' Hij heeft werk gevonden bij een handelaar in koffie, maar zodra hij een paar honderd franc bij elkaar heeft, wil hij weg, naar Zanzibar, waar het werk voor het opscheppen ligt. In zijn Afrikaanse jaren zal Rimbaud regelmatig naar Aden terugkeren. Ruim vier van de elf jaar brengt hij er door. Aden is voor hem als Roche, waar het huis van zijn moeder stond, een gehaat thuis.

Rimbaud

Wij weten dat het Rimbaud was die in Aden aan wal ging, omdat hij Rimbaud de dichter is. Maar het was niet langer een dichter die daar in Aden aan wal ging. Alles aan Arthur Rimbaud is problematisch, maar het is mijn vaste overtuiging dat hij zijn literaire leven beëindigde met het winderige gedicht dat hij op '14 8bre 75' per brief vanuit Charleville stuurde naar zijn vriend Ernest Delahaye, die zich op dat moment in Rethel bevond. In enkele regels rekent de 21-jarige definitief af met Paul Verlaine en vervolgens brengt hij het onderwerp op een zaak die hem de rest van zijn leven zal blijven obsederen, de mogelijkheid dat hij opgeroepen wordt voor militaire dienst. Het schijnt dat de tweede *portion* van het *contigent* van de *classe* 74 op 3 november dat jaar op moest komen. De gedachte aan de soldatenbarak bezorgt hem de nachtmerrie die hij verwoordt in een gedroomd gedicht:

de chambree bij nacht:

'Droom'

Ze hebben honger op de chambree –
    't Is waar...
Ontsnappingen, ontploffingen. De genie:
    Ik ben de Gruère! –
Lefêbvre: "Keller!"
De genie: "Ik ben de Brie! –
De soldaten snijden van hun brood:
    "Zoals ik het leven zie!
De genie. – "Ik ben de Roquefort!
    – "Daar sterven wij dus voor!...
    – Ik ben de Gruère,

En de Brie!... enz.
–Wals –
Ze hebben ons verenigd, Lefêbvre en mij...
enz.

Er is de afgelopen honderd jaar veel werk gemaakt van Rimbauds afscheid van de literatuur, des te opmerkelijker dat het gedicht dat zijn afscheid markeert nooit in de *Verzamelde werken* is opgenomen. Iedere letter die Rimbaud tijdens zijn leven heeft geschreven is eindeloos bestudeerd en becommentarieerd, maar van dat laatste saluutschot willen we niet weten. Wie zegt dat Rimbaud nadat hij uitgeschreven was naar Afrika vertrok om daar geld te verdienen, wordt voor het Rimbaudtribunaal gedaagd en veroordeeld tot honderd stokslagen, een vonnis dat ten aanschouwen van de verzamelde Rimbaldiens ten uitvoer zal worden gebracht op de place Ducale te Charleville. Wie zal na zo'n terechtwijzing nog zijn 'en toch draait de aarde om de zon' durven laten klinken?

Toch heeft deze dissident het gelijk aan zijn zijde. Want natuurlijk was Rimbaud uitgeschreven, al was hij niet zozeer uitgeschreven als wel klaar, wat in zijn tijd min of meer op hetzelfde neerkwam. Het writers' block was nog niet uitgevonden en als hij na die laatste donderslag nog iets te zeggen had gehad, had hij het wel gedaan. Betekenisvol zwijgen à la Bul Valéry bijvoorbeeld bestond ook nog niet en bovendien, Rimbaud zelf heeft er in zijn uitspraken nooit enige twijfel over laten bestaan, hij had het gehad met de literatuur. 'Ik heb iedereen de schop onder zijn kont gegeven,' zei hij in augustus 1875 tegen Dela-haye.

En dat was dat. Rimbaud was geen dichter meer, maar wat hij wel was, wist hij nog niet. In Aden zou hij het ontdekken.

Tadjoura

In september 1884 kwam er een einde aan het Egyptische bewind in Harar. De stad viel in handen van plaatselijke troepen en emir Abdoullaï werd de nieuwe gouverneur. Abdoullaï was een fanatieke moslim en het was zijn droom eerst alle christenen te vermoorden om vervolgens de stad voor alle ongelovigen te sluiten. Het handelshuis Bardey besloot zijn filiaal in Harar op te heffen en Rimbaud, die het filiaal leidde, zag zich gedwongen naar Aden te vertrekken. De vrouw van wie we vrijwel niets weten behalve dat ze al enige tijd zijn leven deelde, nam hij met zich mee en zij zou tot september 1885 bij hem blijven. Toen stuurde hij haar terug naar Sjoa. De vertoning had hem lang genoeg geduurd en hij kon het alleen maar betreuren dat hij haar ooit had meegenomen.

In Aden had Rimbaud een ondergeschikt baantje bij de firma Bardey, maar zijn grote droom in één klap rijk te worden had ook de kop weer opgestoken. In Abessinië streden Johannes, de koning van Tigré en keizer van Ethiopië en Menelik, de koning van Sjoa, om de macht en uiteraard hadden ze wapens nodig. Rimbaud besloot Menelik die wapens te leveren. Hij kocht een paar duizend ouderwetse geweren en vertrok, nadat hij met een stevige dreun de Bardey-deur achter zich had gesloten ('Ze deden hun uiterste best me in dienst te houden, maar ik liet ze naar de duivel lopen, allemaal, hun vooruitzichten, hun vreselijke firma en hun smerige stad.') naar Tadjoura, waar hij een karavaan wilde samenstellen.

In dit gat aan de Golf van Aden heeft Rimbaud zijn laatste droom uitgezweet. Hij had een huis in het dorp gehuurd en misschien trok hij af en toe ook naar het noordelijker gelegen Obock, waar hij dan logeerde in het hotel van de familie E. Dufaud. Ze herinneren zich hem als afwisselend uitbundig en zwijgzaam, afhankelijk van de maan, zoals hij zelf zei. Hij was heel actief als hij zich met een karavaan bezighield, maar als hij rust nam was hij heel anders. Hij was vertrouwd met allerlei soorten alcohol, tabak, hasjiesj en zelfs opium. In zijn uren van spleen haalde hij zichzelf omlaag met langdurig gebruik van al deze drugs. Uit deze neerwaartse periode van 'slechte maan' kwam hij verwilderd en korzelig weer te voorschijn, nauwelijks etend, maar altijd stevig aan de drank.

Tadjoura was een Dankalidorp 'met een paar moskeeën en een paar palmbomen. Er is een fort, vroeger door de Egyptenaren gebouwd, waar nu zes Franse soldaten slapen onder bevel van een sergeant,' schreef Rimbaud naar huis. Het was een troosteloos oord en Rimbaud zou er een jaar verblijven: 'De Dankali hielden de lading een vol jaar vast in Tadjoura. Zo behandelen ze alle reizigers en ze geven de route pas vrij nadat ze hen van al het mogelijke hebben beroofd.' Maar in oktober 1886 was het toch zover en trok Rimbaud aan het hoofd van een karavaan van een kleine honderd kamelen het binnenland in richting Ankober, de hoofdstad van Sjoa. Het kostte hem vier maanden er te komen, en toen hij er was ontdekte hij dat koning Menelik inmiddels met zijn leger naar Harar was vertrokken. Hij veroverde de stad en trok verder naar Entoto, waar Rimbaud na nog zo het nodige oponthoud eindelijk in contact kwam met de koning, die in het geheel niet bereid bleek zijn geweren te kopen op de door Rimbaud bij elkaar gedroomde en voor hem zo gunstige voorwaarden. De financiën van Rimbauds karavaan vormen een ondoorzichtig oerwoud, waar slechts een extreem goede boekhouder zich een weg doorheen kan banen, maar we mogen rustig aannemen dat hij uiteindelijk vrijwel niets aan de hele onderneming heeft overgehouden. 'Mijn haar is helemaal grijs,' schreef hij op 23 augustus 1887 aan zijn moeder en zijn zuster. 'Het lijkt of mijn hele leven aan het vergaan is. Je moet je maar eens voorstellen hoe iemand eraan toe moet zijn na zulke ontberingen – de zee oversteken in een open roeiboot, dagenlang te paard zitten zonder schone kleren aan te trekken, zonder eten, zonder water. Ik ben verschrikkelijk moe! Ik heb geen werk en ik ben doodsbang het weinige geld dat ik heb kwijt te raken. Denk je eens in dat ik voortdurend voor ruim zestienduizend franc aan goud in mijn ceintuur draag; het weegt een kilo of acht en ik krijg er rodeloop van.'

Het is in dezelfde brief dat Rimbaud de eerste symptomen beschrijft van de ziekte die hem de dood in zal jagen. In zijn wanhoop probeert hij op diverse plekken artikelen over zijn

Arthur Rimbaud, zelfportret anno 1883.

Abessijnse reis te verkopen. De *Société de Géographie, Le Temps* en *Le Figaro* weigeren zijn bijdrage, maar het stuk verschijnt, in twee afleveringen, op 25 en 27 augustus 1887 in de *Bosphore égyptien*. De verschrikkingen van Rimbauds tocht worden er meedogenloos in beschreven en het stuk bevat ook sterke staaltjes contemporaine geschiedschrijving. Over de inname van Harar door Menelik schrijft hij (de vertaling is van Mels de Jong): 'Eenmaal in de stad reduceerden de Abessijnen haar tot een afschuwelijk open riool; en, zoals negers zich onder elkaar kunnen gedragen, ze vernielden de woonsteden, tiranniseerden de bewoners en verwoestten de aanplantingen. (...) Belastingen worden in het omringende land van de Galla nog slechts door middel van razzia's geïnd, waarbij de dorpen in brand worden gestoken, het vee wordt geroofd en de bevolking in slavernij wordt weggevoerd. (...) De Abessijnen hebben in weinige maanden de voorraad *dourah* verslonden die door de Egyptenaren was achtergelaten en die toereikend had kunnen zijn voor enige jaren. Nu dreigt er hongersnood en pest.'

Harar

Aden was Rimbauds toegang tot Afrika. Toen Alfred Bardey, de directeur van het handelshuis waarvoor hij werkte, de mogelijkheid opperde een vestiging in Harar te openen, bood Rimbaud zich ogenblikkelijk aan. Op 10 november 1880 tekende hij een driejarig contract. Niet veel later maakt hij de oversteek naar Zeila en vandaar ging het in twintig dagen te paard door de woestijn naar Harar, dat hij binnenging door de Bab El F'touh, de Poort van de Verovering, een van de vijf poorten die toegang gaven tot de stad.

Harar is een islamitische stad, de vierde Heilige Stad van de islam (na Mekka, Medina en Cairo) en telt negenennegentig moskeeën, naar analogie van de negenennegentig namen van Allah. Rimbaud vestigde zich in een huis ergens tussen het marktplein en het slachthuis. Hij was niet van plan hier lang te blijven; het Panamakanaal oefende een grote aantrekkingskracht op hem uit. Maar eerst ging hij huiden kopen in het zuiden, in Boubassa. De karavaan verzamelde zich bij Bab el Salaam, de zuidelijke poort. Alfred Bardey was erbij en dit zag hij: 'Op het moment van zijn vertrek, aan het hoofd van zijn kleine karavaan, windt Rimbaud een doek om zijn hoofd als is het een tulband en drapeert hij een rode doek over zijn gewone kleren. Hij wil doorgaan voor een moslim...'

Univers
Toen Rimbaud in Aden aankwam, nam hij een kamer in het Grand Hôtel de l'Univers. Dacht hij even terug aan het Café de l'Univers tegenover het station van Charleville, waar hij zo vaak met zijn vrienden dronken was geworden? Hij zou het hotel aan de Prince of Wales Crescent, dat gedreven werd door Jules Suel, een Fransman met een tropenhelm, altijd trouw blijven. Charles Nicholl, de schrijver van *Somebody Else; Arthur Rimbaud in Africa 1880-1891*, heeft het hotel teruggevonden: 'It took a while to pinpoint it, but there it undoubtedly was – the eleven arcades, the little shuttered windows on the first floor, the squat building on the hills above. The signboard above the entrance has gone, but I can see the nails which once held it. The Grand Hotel of the Universe has fallen on hard times.'

Rimbaud
In Aden werd Rimbaud aangenomen door het handelshuis Mazeran, Viannay, Bardey & Cie. Hij gaat aan het werk als *karani*, voorman. Het woord betekent de boosaardige, maar dat is de benaming voor iedere voorman, of hij nu boosaardig is of niet. Rimbaud staat aan het hoofd van de *harim*, een groep vrouwen, voor het merendeel echtgenotes van de hindoestaanse soldaten die deel uitmaken van het Britse garnizoen in Aden, die de koffiebonen reinigen en verpakken. Later zal verteld worden dat Rimbaud er in Aden een harem op nahield. Zijn baantje als karani is de opstap naar de levensvervulling van de laatste elf jaar van zijn leven. De literatuur heeft afgedaan. 'Je ne pense plus à ça,' heeft hij tegen Delahaye gezegd en in een brief schrijft hij hem: 'Je tiens surtout à des choses précises.' Koffiebonen zijn hem concreet genoeg. Hij wordt handelaar in koffie en al gauw is hij koopman in alles.

Rimbaud
Eerst was er de dichter. De dichter verdween en daarvoor in de plaats kwam de koopman/ontdekkingsreiziger. Die gedachte is

onverdraaglijk en zo ontstond het idee Rimbauds Afrikaanse jaren te zien als een verlengstuk van het oeuvre, als oeuvre-vie. 'Je zou kunnen stellen,' schrijft Charles Nicholl, 'dat Rimbauds leven van avontuur en zwerven zijn eigenlijke meesterwerk was.' Hij citeert Giuseppe Raimondi, de schrijver van *Rimbaud mercante in Africa*: 'Na de poëzie van het woord de poëzie van de daad.' En zo kom je altijd weer terug bij Rimbauds 'Je est un autre', want als ik een ander is, is de ander ik, is de dichter koopman en de koopman dichter. 'Fous-moi la paix,' zou Rimbaud waarschijnlijk hebben gezegd als hij deze theorie voorgelegd had gekregen. Er moesten zaken gedaan, Rimbaudzaken!

Islam

Rimbaud verdween in Afrika en eenmaal in Afrika probeerde hij de kleur aan te nemen van zijn omgeving. Hij kleedde zich als een Arabier en hij plaste als een Arabier: hurkend. Zijn hele manier van leven had hij aangepast, hij verachtte Europeanen die weigerden zich aan te passen. Toen de Franse ontdekkingsreiziger Pierre Sacconi werd vermoord, vond hij dat de man erom had gevraagd door ham te eten en in aanwezigheid van Arabische sjeiks 'kleine glaasjes' achterover te slaan. Moslim is hij waarschijnlijk niet geworden, maar hij kende de koran en hij werd graag voor moslim aangezien, zeker door de mensen met wie hij handel dreef. Op het zegel dat hij liet maken, staat Abdoh Rinbo: Rimbaud de dienaar van Allah. En nog op zijn sterfbed was Allah bij hem, hij bleef het herhalen: Allah Kerim, Allah Kerim.

Makonnen

Na lange onderhandelingen slaagde Rimbaud erin zijn wapens tegen een afbraakprijs te verkopen aan Menelik, koning van Sjoa. Het geld moest hij vervolgens zien te krijgen van Meneliks neef Makonnen, de pas benoemde gouverneur van Harar. De mannen hadden een slechte start, maar uiteindelijk werden ze vrienden. Op 30 mei 1891 laat Rimbaud de gouverneur vanuit

Marseille weten dat zijn been is geamputeerd. Op 12 juli schrijft Makonnen hem terug: 'Hoe gaat het met u? Met mij, goddank, gaat het goed. Met verbazing en medelijden verneem ik dat het nodig was uw been af te zetten. Naar wat u me heeft verteld, is de operatie geslaagd. Prijs de Heer! Het doet me genoegen te horen dat u van plan bent naar Harar terug te keren om uw zaak voort te zetten: dat doet me plezier. Ja, kom snel en gezond terug. Ik ben je vriend voor altijd. Geschreven in Harar op 12 juli 1891. Ras Makonnen.'

Bazarkoorts

Rimbaud aan Alfred Ilg (1 juli 1889): 'Meneer Brémond heeft hier een bazar à 13 sou geopend, waar je kammen kunt kopen, bewerkte oesterschelpen, soepgroenten, pantoffels, macaroni, nikkelen kettingen, portefeuilles, hoeden, eau de cologne, pepermunt en een massa andere handige producten die net zo goed zijn aangepast aan de behoeften van de inboorling.' In een voetnoot voegt hij hieraan toe dat niet alles 13 sou kost: 'Ik heb er kammen gezien die 7,5 roupie moesten kosten en een bewerkte oesterschelp van 20 roupie. Een geëmailleerd bord 3 roupie, de macaroni 2,50 fr de kilo, espadrilles 5 roupie, etc., etc.' In dezelfde brief heeft Rimbaud een opsomming gegeven van de artikelen die hij per karavaan aan Ilg heeft gestuurd om in Entotto aan de man te brengen. Op 16 september bericht Ilg dat de karavaan is aangekomen: 'Ik heb zojuist de fameuze bazar bekeken die je mij hebt gestuurd. Het lijkt wel of je erop uit bent de paar stuivers die ik bezit in beslag te laten nemen – dat gebeurt maar al te vaak vandaag de dag. Proberen om rozenkransen, kruisen en crucifixen te verkopen, net nu Zijne Majesteit pater Joachim heeft bevolen terug te keren naar Harar, is gevaarlijker dan een reis door de woestijn. Op het moment zou ik ze zelfs niet durven weggeven, de Abessijnen zouden me makkelijk voor een vermomde capucijn kunnen houden. Wat je fameuze parels van Decran et Cie betreft: daar kun je beter patrijzen mee gaan schieten, dat had je meer opgeleverd dan ze te laten verkopen op honderden kilometers afstand van Harar. Je zou bijna gaan denken dat de bazarziekte van meneer Brémond besmettelijk is en dat jij hem stevig te pakken hebt. Blocnotes verkopen voor 2,5 thaler aan mensen die niet kunnen schrijven is echt te veel gevraagd. Jammer dat je niet een paar honderd bewerkte schelpen voor me hebt, en nog een paar schoenlepels.'

Abessijnse

Toen Rimbaud in het voorjaar van 1884 uit Harar naar Aden terugkeerde, had hij een vrouw bij zich. Volgens Françoise Grisard, de huishoudster van Alfred Bardey, was het een verlegen en zachtaardige vrouw. Françoise leerde haar kleren naaien en Rimbaud gaf haar Franse les. 's Avonds ging hij met haar wandelen. Hij zou zelfs met haar hebben willen trouwen, maar de enige keer dat Rimbaud zelf het over haar heeft, in september 1885, aan de vooravond van het avontuur in de wapenhandel, heeft hij haar weggestuurd. De maskerade heeft lang genoeg geduurd, schreef hij aan de journalist Franzoj. Hij heeft haar geld meegegeven om de oversteek van Aden naar Obock te maken. 'Ik had niet zo stom moeten zijn om haar uit Sjoa mee te nemen, ik zal zeker niet zo dom zijn het op me te nemen haar daarheen terug te brengen.' Haar naam is niet achterhaald.

Ullier

Op 7 april 1891 verlaat Rimbaud – hij ligt op een draagbaar en wordt door zestien mannen gedragen – voor de laatste maal Harar. Na elf gruwelijke dagen bereikt hij de kust, waar hij als een stuk bagage aan boord van een schip naar Aden wordt gebracht. Op 10 mei gaat hij daar aan boord van de Amazone, die hem naar Marseille brengt. Hij wordt er ingeschreven in het Hôpital de la Conception: Salle Officiers – Le 20 mai, le nommé Rimbaud, Arthur, âgé de trente-six ans. Profession: négociant – Né à Charleville, département des Ardennes, de passage. Maladie: Néoplasme de la cuisse. Le médicin: P. Ullier Numéro du registre des entrées: 1427

De Abessijnse.

Djami

Djami was een jaar of dertien toen hij in 1883 Rimbauds 'trouwe bediende' werd. Djami was erbij toen Rimbaud zijn laatste reis van Harar naar Zeila maakte. Daar namen ze afscheid. Een paar maanden later, op 28 oktober 1891, is het Rimbauds zuster Isabelle die de hallucinaties op zijn sterfbed optekent: 'Soms noemt hij me Djami, maar ik weet dat dat komt omdat hij hem mist en dus keert hij steeds terug in zijn dromen. Verder haalt hij alles door elkaar – maar op een of andere manier is het kunst. We zijn in Harar, we vertrekken altijd naar Aden. We moeten kamelen vinden, de karavaan samenstellen. Met zijn nieuwe kunstbeen loopt hij heel makkelijk, we rijden samen op goede muildieren die fraai zijn opgetuigd. Dan moet er gewerkt worden, de boeken bijwerken, brieven schrijven. Vlug, vlug, ze wachten op ons. We moeteen inpakken en vertrekken. Waarom heb ik hem zo lang laten slapen? Waarom hielp ik hem niet met aankleden? Wat zullen de mensen zeggen als we niet op de afgesproken dag aankomen? Niemand zal hem meer vertrouwen...'

Vlak voor zijn dood laat Rimbaud vastleggen dat Djami drieduizend franc van hem erft, een flink bedrag (zo'n negenduizend euro naar huidige maatstaven), in Afrika een fortuin. Djami is inmiddels in dienst getreden bij Felter, een Zwitserse koopman: 'Ik zal hem met de muildieren naar de kust sturen voor mijn vrouw.' Felter hoopte dat Rimbaud terug zou komen en zijn vrouw van de kust naar Harar zou begeleiden. Maar Rimbaud stierf op 10 november 1891, en toen zijn legaat aan Djami in juni 1893 Harar bereikte, was ook Djami gestorven.

Colette, het dier en het woord

Aan het eind van haar leven was Colette (1873-1954) een nationaal instituut. Ze was zo beroemd dat er altijd mensen voor haar appartement op de place du Palais-Royal stonden in de hoop een glimp van haar op te vangen. Ze dankte haar roem aan haar boeken, een uitzonderlijke reeks meesterwerken inderdaad, die begint met haar debuut, het nog altijd hoogst vermakelijke *Claudine à l'école* uit 1900. Tot mijn andere lievelingen horen *Chéri* uit 1920, *La Chatte* uit 1933 en *Gigi* uit 1944. *Gigi* was in 1949 verfilmd door Jacqueline Audry en in 1950 waren er filmversies van *Chéri* en *L'ingénue libertine*. Yannick Bellon maakte een film over Colette en tussen 20 februari en 26 mei voerde André Parinaud op de radio iedere week twee gesprekken met haar, zevenentwintig uitzendingen in totaal. Als *Mes Vérités* zijn ze bijna vijftig jaar later in boekvorm verschenen. Het is een hoogst curieuze ervaring om iemand zo lang na zijn dood plotseling het woord te zien hernemen. En hoe! Als Parinaud de schrijfster vraagt of ze nog herinneringen heeft aan de rue Jacob, waar ze vanaf 1893 enkele jaren heeft gewoond, zegt Colette: 'Jazeker. Aan de overkant was een tamelijk gewoon huis, maar er woonde een stralende godheid, een prachtige angorakat. En een of twee keer per week zetten zijn zeer toegewijde baasjes op de binnenplaats een teil en een kan lauw water en zeep neer. Als alles klaarstond kwam de angora drie treden af en nam zelf plaats in de teil.

Colette en Willy in 1906.

Veel van de gesprekken met Parinaud gingen over de vraag hoe de Claudine-boeken zich tot de werkelijkheid verhouden en dat levert prachtige verhalen op, zeker als Colettes eerste echtgenoot er een rol in speelt. Via haar vader had ze hem leren kennen, Henri Gauthier-Villars, veertien jaar ouder dan zijzelf, een briljante persoonlijkheid die bekendstond als Willy en die kronieken over het theater schreef onder de namen Henry Maugis en Jules Smiley.

Het interessante aan deze kronieken is dat Willy ze niet zelf schreef. Willy zette nooit een pen op papier en toch schreef hij niet alleen theaterkronieken, maar ook verhalen, novellen en boeken als *Le Mariage de Louis XV* en *Les Mémoires d'un vétéran de la Grande Armée*. De manier waarop Willy zijn boeken tot stand bracht, is een waar mirakel. Hij had er een werkplaats voor, waarvan hij de leiding had. In die werkplaats werkte een aantal mensen die bekendstonden als *nègres*. Iedere nègre had zijn eigen specialiteit. De ene zette de intrige uit, een ander schiep de personages en een derde hield zich bezig met de dialogen. Willy zelf hield het geheel in de gaten en als het boek was voltooid zette hij zijn naam erop.

Uiteraard was dit een omslachtige en dure manier van werken. Willy had zijn boeken beter zelf kunnen schrijven, maar schrijven was hem nu eenmaal onmogelijk. (Vlak voor zijn dood in 1931 raakte Willy's rechterhand verlamd. Zijn secretaris, die bij Colette medelijden voor haar vroegere echtgenoot wilde opwekken, schreef haar dat hij door die hand niet meer kon schrijven. 'Je zou toch zeker niet willen dat hij op zijn leeftijd daar nog aan beginnen moest,' antwoordde zij).

De negentienjarige Colette (die toen nog Sidonie Gabrielle heette) werd verliefd op Willy en al gauw stuurde ze hem hartstochtelijke brieven. Op 15 mei 1893 trouwden ze.

Een kleine twee jaar later kwam het beslissende moment. Willy zei tegen zijn vrouw dat ze maar eens wat herinneringen aan haar schooltijd op papier moest zetten, waarbij ze vooral niet bang moest zijn voor pikante details. 'Misschien kan ik er iets mee – we zitten slecht bij kas.' Colette ging op zoek naar schriften zoals ze die op school had gebruikt ('Op ander papier had ik nooit kunnen schrijven.') en toen ze die gevonden had, ging ze aan de slag. Aan een tafeltje in het appartement in de rue Jacob schreef ze *Claudine à l'école*, maar toen Willy haar manuscript las, zag hij er niets in. De schriften verdwenen in een la. Een jaar later vond hij ze terug, hij begon te lezen en op een gegeven ogenblik zei hij: 'Mijn god, wat ben ik toch een l...', waarop hij zijn hoed opzette en rechtstreeks naar zijn uitgever ging.

Claudine à l'école was meteen een enorm succes. De *Mercure de France* schreef: 'Of Willy, de boulevardier, de roddelkont, de briljante schrijver, deze Claudine heeft geschapen of dat hij

Colette in 1912.

haar geplukt heeft uit de aanbeden handen van een vrouw, zoals je bloemen plukt, doet er niet toe, het is een meesterwerk, daar gaat het om.'

We mogen aannemen dat Colette dat anders zag, maar zolang ze met Willy getrouwd was, bleef ze onder zijn naam haar boeken schrijven. Als interviewer Parinaud het over haar roman *Minne* heeft, vertelt ze dat ze het plan had een novelle van een pagina of vijftig te schrijven, maar dat Willy toen zei: 'Ik heb er minstens honderdvijftig nodig.' Parinaud zegt dan dat ze toch had kunnen weigeren en Colette antwoordt: 'Het is duidelijk dat u nooit met meneer Willy getrouwd bent geweest.'

Toen Colette zich van Willy had losgemaakt, begon ze een lesbisch avontuur met de excentrieke Mathilde de Morny, beter bekend als Missy. Samen traden ze op in een sketch in de Moulin-Rouge, waar Colette voor een schandaal zorgde door naakt op het toneel te verschijnen. In 1912 trouwde ze met Henry de Jouvenel en al snel begon ze een hartstochtelijke verhouding met haar achttienjarige stiefzoon. Ze creëerde een eigen parfumlijn, reisde, schreef reportages voor de grote bladen en bouwde ondertussen verder aan haar uitzonderlijke oeuvre, waarin tuinen zo'n belangrijke rol spelen, net als de kookkunst, de stilte.

En de dieren niet te vergeten. Voor Colette waren zij heel direct aan het woord gelieerd. Toen ze zich in *L'Étoile vesper* uit 1946 haar schooltijd herinnerde, schreef ze: 'Als ik bijvoorbeeld op het woord "murmure" stuitte en nadacht over hoe mijn zin verder moest gaan, was dat het moment om onder ieder van de eendere neerhalen een rupsenvoetje te tekenen, zo'n zuignap van een voetje dat zich taai vastzet aan een tak. Aan het ene uiteinde van het woord tekende ik de kop, aan de andere kant de staart. In plaats van het woord "murmure" had ik nu een rups, wat veel leuker was.' Het woord is dier geworden. Dat zal in de jaren tachtig van de negentiende eeuw zijn geweest. Als schrijver zal Colette later het dier het woord geven, bijvoorbeeld in *Dialogues de bêtes* (1904), het eerste boek dat onder haar naam verschijnt. Aan het woord komen de poes Kiki-la-Doucette en de bulldog Toby-Chien, die allerlei commentaren geven op eigen avonturen en die van hun baas en bazin. In *De reis* bijvoorbeeld, als Kiki-la-Doucette, opgesloten in een poezenmand, de treinreis naar hun zomerbestemming moet maken (aan het woord is Toby-Chien):

Ik dacht echt dat mijn vriend de Kat deze wereld verlaten had! Plotseling verscheen hij boven op de boekenkast, waarvandaan hij ons met zijn groene ogen misprijzend bekeek. Zij gooide haar armen omhoog: 'Kiki! kom ogenblikkelijk naar beneden! We zullen de trein nog missen.' Maar hij kwam niet, en ik, op de grond, kreeg hoogtevrees, door hem daar zo hoog te zien zitten, terwijl hij *boem boem* met de voetjes deed, om zichzelf heen draaide en schril miauwde om aan te geven dat het hem onmogelijk was te gehoorzamen. Hij werd radeloos en zei: 'Mijn god, direct valt hij!' Maar zij glimlachte sceptisch, ging weg en kwam gewapend met de zweep terug... De zweep zei: 'Klak!', twee keer maar en als door een wonder, denk ik, viel de kat tegen het parket, zachter en elastischer dan de wollen bal die ons als speeltje dient. Ik had iets gebroken als ik zo was gevallen. Sindsdien zit hij in de mand... (Hij loopt naar de mand). Er is een kijkgaatje... ik zie hem... Snorren als witte naalden... Wat een ogen! Achteruit... ik ben een beetje bang. Een kat zit nooit helemaal opgesloten... Hij lijdt. Misschien als ik zachtjes tegen hem praat... (Hij roept hem, hoffelijk.) Kat!
KIKI-LA-Doucette, het geluid van een wild dier.
Khhh...

TOBY-CHIEN (een stap achteruit)
O! je zegt iets lelijks. Je ziet er vreselijk uit. Heb je ergens pijn?
KIKI-LA-DOUCETTE
Ga weg. Ik ben hier de martelaar... Ga weg of ik spuug vuur over je heen!
TOBY-CHIEN (onbevangen)
Waarom?

In haar latere werk zal Colette de dieren langzaam maar zeker het mysterie van hun zwijgen gunnen. Maar in 1932 zijn er nog letters. Als ze in dat jaar een wandeling door de dierentuin maakt, moet ze schuilen voor de regen. Ze vlucht het reptielenhuis in. Daar ziet ze een verslingerde python. In zijn arabesken leest ze een aantal letters van het alfabet, een O, een U, een grote C, een kleine g. Dan begint de slang te bewegen. De letters zullen verdwijnen, denk je, maar Colette ziet nieuwe letters verschijnen, zijn O blijkt een C, zijn G een Z. Een jaar later verschijnt *La Chatte*. In dit meesterwerk betrekt een pas getrouwd paar een appartement in Parijs. Ze zijn jong, rijk en mooi en niets lijkt hun geluk in de weg te staan. Maar dan blijkt de echtgenoot een minnares te hebben, een minnares die er altijd al is geweest en die hij is blijven liefhebben. Zijn vrouw is radeloos jaloers en onderneemt van alles, maar ze heeft geen kans. De minnares drijft het paar op wrede wijze uit elkaar. Aan het einde van de roman heeft ze haar minnaar definitief heroverd en neemt hij haar mee, terug naar de paradijselijke tuin van hun beider jeugd. De minnares in kwestie heet Saha. Saha is een kat.

'Wie met een kat omgaat,' schreef Colette, 'loopt hoogstens het risico dat hij er beter van wordt.' En: 'Als het in mijn werk over katten gaat, is het nooit een grapje.'

Aan het einde van haar leven was Colette ernstig invalide, maar een beroemde invalide en dus moest ze nog vaak op reis. Vlak voor een vlucht van Parijs naar Nice noteerde ze: 'In wat voor grote poezenmand moet deze dikke kat duizend kilometer opgesloten zitten?'

Léon-Paul Fargue: de wandelaar van Parijs

In zijn jonge jaren was Léon-Paul Fargue (1876-1947) bevriend met Valéry Larbaud, de schrijver van *Fermina Marquez* en 'Rose Lourdin', een van de mooiste verhalen uit de wereldliteratuur. In een beroemde scène lopen ze samen over straat, terwijl Fargue zingt en Larbaud met zijn wandelstok de maat slaat:

Meid, dat zal een heisa geven,
Jij wou die putjesschepper niet
   Stomme griet!
Hij ging stinkend door het leven,
En die lucht beviel jou niet
   Stomme griet!
Alsof zijn geld naar stront rook,
Alsof jij rozen in je gat had;
Goede God van stomme zaken,
Hoerendochter, vuile trut,
Ga ergens anders grappen maken,
Ga weg jij, uit mijn hut,
   Stomme kut!

In een andere scène is het uitgever Gaston Gallimard die genoeg heeft van Fargues chronische improductiviteit. Hij sluit de schrijver met een stapel blanco papier op in zijn villa. Als hij daar 's avonds terugkeert, overhandigt Fargue hem de stapel pa-

Léon-Paul Fargue in Parijs, 1919.

pier, ieder velletje beschreven. Met steeds dezelfde zin: 'Ik ben de kapitein van een korvet.' Een amusante anekdote, maar het verhaal over Fargue op het postkantoor waar hij na eindeloos weifelen een postzegel op het midden van een vel aanwijst met de woorden 'doet u die maar', kennen we over te veel auteurs.

Volgens de overlevering was Fargue een spits gebekte flaneur en een grapjas, maar uit zijn levensverhaal blijkt iets anders. Fargues bestaan lijkt een aaneenschakeling van leugens en leugentjes, opschepperij en mystificaties. In de boeken van Fargue die door Gallimard worden uitgegeven, wordt nog altijd trouwhartig vermeld dat hij op het lycée Henri IV heeft gezeten, waar hij kennismaakte met Alfred Jarry. Dat hij bevriend was met de schrijver *Ubu Roi* is waar, maar op Henri IV heeft hij nooit gezeten, zoals hij ook nooit Mallarmé als leraar Engels heeft gehad. Zijn boekje met herinneringen aan zijn onvergetelijke leraar is geheel uit de lucht gegrepen. Fargue liep met een lintje dat hij nooit had gekregen, hij antedateert zijn poëzie om het te laten lijken of hij op stromingen vooruitliep, hij was geen medeoprichter van het tijdschrift *Centaure* en de brief van Alfred Jarry die gepubliceerd werd in het nummer dat *Feuilles libres* in 1927 aan Fargue wijdde, is een vervalsing van de hand van Fargue zelf. Fargue was, denk ik, iemand die meer wilde dan hij kon en die er niet voor terugschrok het te doen voorkomen dat hij kon wat hij wilde.

Zijn leven heeft iets tragisch. Het heeft er de schijn van dat hij een nooit uit de kast gekomen homoseksueel was. Er wordt aangenomen dat hij als schooljongen een verhouding had met de schooljongen Jarry, maar waar Jarry zijn leven na hun breuk verder leefde als homoseksueel, rommelde Fargue zijn hele verdere leven verder met mannenvriendschappen en verhoudingen met vrouwen waarvan niemand het fijne wist. Als hij ten slotte trouwt, is het niet met een geliefde maar met een verzorgster. Als schrijver had hij het ook moeilijk, niet in de laatste plaats door die mannenvriendschappen, want het is natuurlijk niet eenvoudig om als aankomend auteur bevriend te zijn met Alfred Jarry, Paul Valéry en Valéry Larbaud. Fargue zal zich hun minderen hebben geweten; misschien verklaart dat zijn gewoonte om boeken wel aan te kondigen, maar niet te schrijven. Nog voor de eeuwwisseling stond Fargue hierom al bekend en Jehan Rictus schreef eens:

Ik ben meneer Léon-Paul Fargue.
Het leven heeft mij veel troeven gegeven;

Julien Leclercq schreef Le Nargue,–
En ik, ik heb niets geschreven.

Het versje zal zeker tegen het zere been zijn geweest, maar – kunnen wij honderd jaar later nu vragen – wie was Jehan Rictus en wie Julien Leclercq? Fargue is nooit een Valéry geworden. Voor hem geen eredoctoraten, geen zetel in de Académie, maar vergeten is hij niet. Hij is de wandelaar van Parijs.

Fargue was al in de zestig toen hij in 1939 het boek publiceerde, dat hem niet alleen bekend maakte bij het grote publiek, maar dat ook zijn naam doet voortleven: *Le Piéton de Paris*. Ik mag er graag in lezen. Fargue heeft de gave in zijn korte kronieken hele wijken van Parijs tot leven te brengen en bovendien te bevolken met passanten die je niet licht meer zult vergeten. Zo benadert hij Passy-Auteuil via een oude vriend 'die ik helaas uit het oog ben verloren, maar van wie ik nooit zal vergeten dat hij rijk is geworden met de verkoop van uitstekende chocolade'. Niet slecht, deze vriend, maar de maîtresse die hij heeft gevonden in een banketbakkerswinkel in het Quartier latin en die met hem in Passy-Auteuil moet gaan wonen, is nog mooier: 'Een mooie vrouw met een abrikozen huid, en dik haar, de kleur van vulpeninkt, die de boulevard Saint-Michel, geloof ik, nog nooit had verlaten behalve om haar benen te laten zien in de Folies Bergère.' Het laat zich raden dat deze schoonheid, toen ze het keurige Passy-Auteuil had bereikt, zich ogenblikkelijk weer terug liet rijden naar haar geliefde boulevard, en dat ze die nooit meer zou verlaten.

Fargue had toen hij *Le Piéton de Paris* schreef een leven van flaneren achter de rug en nog een paar jaar te gaan. Op 28 april 1943 zat hij te eten in de Catalan, een klein restaurant in de rue des Augustins, waar veel schilders hun atelier hadden. Hij zat met Picasso aan tafel, toen hij werd getroffen door een beroerte. Aan één kant raakte hij volkomen verlamd. Het was gedaan met de nachtelijke tochten door Parijs, het flaneren over de boulevards, maar in *Méandre* schreef Fargue: 'Heel Parijs zit in mijn kop. Als het om een adres gaat of de een of andere grimas of een recept, dan sta ik mijn mannetje. Ik heb heel Parijs in mijn kop in de vorm van herinneringen, en die herinneringen in de vorm van een register: Allais, Bauër, Courieline, Darzons, Estaunié, Fénéon, Gourmont, Hébrard en zo verder tot het einde van het alfabet. Bij iedere letter wacht me een vriend van vroeger met wie ik een onderbroken gesprek zou kunnen hervatten. Maar op dit moment zijn al die herinneringen en al die namen als spelden in een speldenkussen, en dat speldenkussen is in mijn hart, en mijn hart is niet meer dan een naaidoos...'

Hij stierf op 24 november 1947. Een paar uur eerder, toen hij schone en nieuw geverfde lakens op zijn bed kreeg, fluisterde hij: 'Veel te blauw... ontoelaatbaar.'

Victor Segalen: het manuscript als avontuur

Victor Segalen (1878-1919) was arts en schrijver, componist en fotograaf, uitgever, ontdekkingsreiziger, archeoloog, sinoloog. Als jongeman zette hij de gedichten van zijn vrienden op muziek, als scheepsarts belandde hij in Polynesië, waar hij in de ban raakte van Gauguin. Zijn tweede grote reis voerde hem naar China. Het is nauwelijks verwonderlijk dat Slauerhoff zich verwant voelde met Segalen. Hij vertaalde enkele van zijn verzen en die verzen zullen voor veel Nederlanders de eerste kennismaking met Segalen hebben betekend. (Mij is het zo vergaan in ieder geval.) Een van die verzen is

Aan den reiziger

Steden spinnen wegen:
Webben tusschen kerkers.
Zwerf of geef je over.

't Ravijn bant den blik,
De vlakte verstrooit ze.

Bespring rotstrappen, zwerfblokken naar uw drift.
Laat in de vlakte uw veerende voetzool
Liefkoozen door het vochtige gras.

Victor Segalen in het uniform van scheepsarts.

Rust in stilte van rumoer,
Doch niet te lang:
De zwerver wet zijn eenzaamheid op de menigt'.

Reken op geen rustplaats.
Een duurzame deugd is voos.
Zoek het venijn dat ophitst tot hartstocht,
waarin de deugden verbranden, de dorst het snelst.

Zonder leidster, rustplaats, liefde, lof,
Als niet-bestaande in het bestaande,
Belandt gij niet in het moeras der zaligheid,
maar blijft vlot op den maalstroom van het Noodlot.

Enkele weken nadat Segalen in China is aangekomen, vat hij het plan op voor een omvangrijk boek met de keizer als enige hoofdpersoon. 'Alles wordt door hem gedacht, voor hem, middels hem.' Het is zo'n typisch Segalenproject dat bij aantekeningen blijven zal. Wel trekt hij diep de binnenlanden in, richting Tibet, dat hij overigens nooit bereiken zal. Onderweg maakt hij onwaarschijnlijke foto's van een inmiddels allang verdwenen China. De mooiste dateert uit maart 1914 en toont het half uitgegraven beeld van een eenhoorn uit het graf van keizer Tang Gao Zong die in 683 werd begraven. Zeven jaar eerder had Segalen het beeld ook gezien. Toen stak alleen de kop van het gevleugelde paard uit het zand en was graven op keizerlijk bevel nog verboden. Zijn belangrijkste ontdekking deed Segalen ook in 1914, de grafheuvel van keizer Che-Houang. Pas in 1974 zou het reusachtige keizerlijke terracotta leger dat er eeuwenlang in schuilging, worden uitgegraven. Terug in Europa werkt hij aan *René Leys*, zijn meesterwerk, dat in 1922 (postuum) zal verschijnen. In 1917 maakt hij nog een reis naar China. Daarna raakte hij al snel in een depressie die het voor hem, de eens zo onverschrokken reiziger, een kwelling maakte de drempel van zijn kantoor te overwinnen en de wereld te betreden. 'Ik voel dat het

leven zich van mij verwijdert,' schrijft hij op 21 april 1919 aan een vriend. Op 21 mei verlaat hij het Hôtel d'Angleterre in Huelgoat. Hij gaat het bos in. Als hij twee dagen later niet terug is, begint men zich zorgen te maken. Hij wordt dood aangetroffen, een boek met het werk van Shakespeare naast zich. Hij wordt begraven op het kerkhof van Huelgoat.

Segalen leidde een avontuurlijk leven, maar het grote avontuur van zijn leven zal zich op papier hebben afgespeeld en wel in zijn manuscripten. Een blik op zijn *Livre*, het op 18 juli 1916 gedateerde boek dat alle boeken overbodig zal maken en dat dientengevolge ook nooit is verschenen, is genoeg om te begrijpen dat dit niet zomaar een manuscript is. Voor Segalen was het manuscript het boek. Je moest schrijven 'op het gebruikelijke papier, met een lange en harde adelaarsveer. De streepjes door de t hard aanzetten. De hoofdletters tekenen. Goed leesbaar schrijven. Je huiswerk doen.'

Het ging erom te schrijven en te herschrijven en het werk ten slotte zo te kopiëren, dat een tekst erdoor wordt verdiept: met een gekalligrafeerde titelpagina, flaptekst en colofon. Wat daarna kwam, voegde in de optiek van Segalen weinig toe. De verkoop van een boek zag hij zelfs als prostitutie. Hij publiceerde dan ook weinig en in kleine oplagen. De handelseditie van *Stèles,* zijn bekendste en ook in het Nederlands vertaalde bundel, die in 1912 in Peking verscheen, telde tweehonderd exemplaren. De manuscripten van Segalen zijn wonderen van gecompliceerde schoonheid. Ik prijs mezelf gelukkig dat ik er een aantal in handen heb mogen houden en van nabij heb kunnen bekijken. Zelfs een simpele namenlijst wordt bij Segalen tot iets buitengewoons. De woorden waaieren alle kanten uit. Ze buitelen over elkaar heen als golven in de branding, die schuimend en bruisend op je afrollen om zich pas op het laatste moment te hernemen. En net als de golven geven ze hun betekenis niet graag prijs.

Arthur Cravan: de dichter met het kortste haar van de wereld

De even mysterieuze als fascinerende dichter, schrijver en bokser Arthur Cravan (1887-1917), die werd geboren als Fabian Avenarius Lloyd, was 'le neveu d'Oscar Wilde'. Wilde was getrouwd met de zuster van Cravans vader en dat maakt hem tot wat een 'oomzeggertje' wordt genoemd. Toen Cravan in Parijs een reputatie als dichter probeerde te veroveren met optredens, kondigde hij zichzelf zo aan: 'Hedenavond in de Noctambules, rue Champollion 7, zal Arthur Cravan, oomzegger van Oscar Wilde, voordragen, dansen en boksen. Oscar Wilde heeft postuum werk nagelaten waarvan zijn oomzegger het merkwaardigste is, de authentieke oomzegger, de boksersprins, kandidaat in de letteren, hoofdredacteur van *Maintenant*, kortom Arthur Cravan. En op het broze podium van de Noctambules zal Arthur Cravan dansen zoals Zambellis bokst en boksen zoals Joe Jeannette danst.'

De avond in kwestie ging niet door omdat Cravan in een bar in Montmartre slaags was geraakt met een paar andere bezoekers en door de politie was afgevoerd, maar vier maanden later kondigde hij een nieuwe avond aan:

KOMT DAT ZIEN – Zaal van de Sociétés savantes – rue Danton 8 – De Dichter – Arthur Cravan (oomzegger van Oscar Wilde) – bokskampioen, gewicht 125 kg, lengte 2m. DE ONBEHOUWEN CRITICUS – SPREEKT – BOKST – DANST – de nieuwe boksdans –

Arthur Cravan, New York, 1917.

met medewerking van de beeldhouwer MAC ADAMS – meer excentrieke attracties – NEGER. BOKSER. DANSER – zondag 5 juli 9u. in de avond, prijzen der plaatsen: 5 fr., 3 fr. of 2 fr.

De volgende dag gaf de *Paris Midi* op de voorpagina een verslag van de gebeurtenissen:

Arthur Cravan, een grote blonde man zonder baard, die gekleed was in een diep uitgesneden flanellen hemd, een rode gordel, een zwarte broek en lichtzinnige sandalen droeg, heeft gesproken, gedanst en gebokst. Voordat hij sprak, loste hij enkele pistoolschoten en daarna heeft hij, de ene keer lachend, de andere keer serieus, de vreselijkste waanzin tegen de kunst en het leven gedebiteerd. Hij zong de lof van de sporter, die superieur aan de kunstenaar zou zijn, de homoseksuelen, de Louvre-bestelers, de gekken etc. Hij las staande en wiegend en van tijd tot tijd slingerde hij krachtige beledigingen de zaal in.

Het fenomeen is ons inmiddels niet onbekend, hedendaagse performers lijken heel wat van Cravan te hebben opgestoken. De schrijver van het verslag over Cravans optreden begon zijn verhaal met de opmerking dat Cravan 'nooit zal nalaten zijn naam te laten volgen door de woorden "de oomzegger van Oscar Wilde"'. En inderdaad, Oscar Wilde speelt een allesoverheersende rol in Cravans geest. In de vijf nummers die verschenen van zijn eenmanstijdschrift *Maintenant* zijn vier grote bijdragen aan Oscar Wilde gewijd, waaronder een polemiek tegen André Gides geschriften over Oscar Wilde, *In Memoriam* en *De Profundis*, zonder dat de boeken overigens bij naam worden genoemd. Het is daarom des te verwonderlijker dat hij in de herfst van 1910 zijn eigen naam verruilde voor een pseudoniem, waardoor de toch al niet zichtbare familiale verbinding helemaal werd doorgesneden.

Als jongen al had Fabian Lloyd aspiraties dichter te worden. Hij schreef gekunstelde sonnetten, die niet om over naar huis te schrijven waren. Dat wist hij zelf ook en dus gooit hij als hij begin 1909 in Parijs aankomt het roer drastisch om. Hij begint ermee de negenendertig leden van de Académie française stuk voor stuk met een bezoek te vereren, een niet geringe actie voor een jongen van achttien, een actie die ook een duidelijk provocerend karakter heeft. Of Cravans activiteiten als bokser ook zo gezien moeten worden, waag ik te betwijfelen. Hedendaags ge-

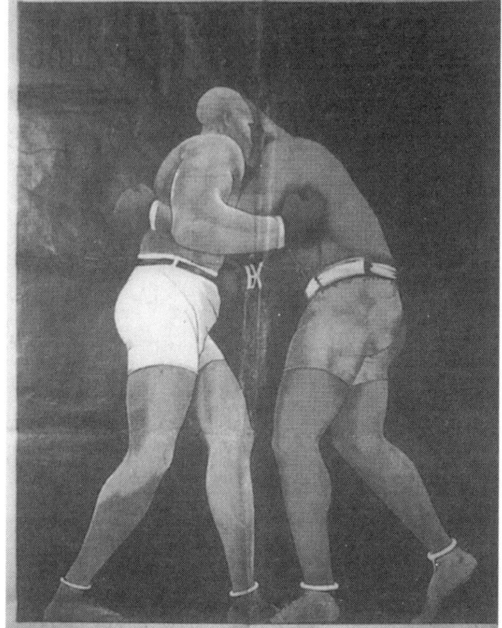
PLAZA DE TOROS MONUMENTAL
DOMINGO 23 ABRIL DE 1916
A las 3 de la tarde
GRAN FIESTA DE BOXEO
en la cual tendrán lugar
6 interesantes combates entre notables luchadores, 6
Finalizará el espectáculo con el sensacional encuentro entre el campeón del mundo
Jack Johnson
Negro de 110 kilos
y el campeón europeo
Arthur Cravan
Blanco de 105 kilos
En este match se disputará una bolsa de 50.000 ptas. para el vencedor.
Véanse programas
PRECIOS (incluidos los impuestos)
SOMBRA Y SOL Y SOMBRA:
SOL
ENTRADA GENERAL 2 ptas.

boks, gewielren of gevoetbal van auteurs heeft vaak de bijsmaak van aanstellerij, maar het lijkt alsof boksen in het begin van deze eeuw in artistieke kringen een heel gewone bezigheid was.

Cravans bokscarrière duurde vier maanden. Het bracht hem de Franse middengewichtstitel en een reputatie die hem in later jaren in staat zou stellen er af en toe in de ring een stevig bedrag bij te verdienen. Zo stond hij in 1916 in Barcelona tegen Jack Johnson. Hij ging in de zesde ronde knock-out. Maar eenmaal in Mexico waren die zes ronden er al een heroïsche zeventien geworden en dat hielp toen hij het contract sloot voor zijn match tegen Jim Smith alias de Black Diamond. In mei 1910 kwam er een einde aan Cravans Franse bokscarrière en vanaf dat moment zou hij zich helemaal aan de literatuur wijden. Zijn belangrijkste daad was het beginnen van een tijdschrift, *Maintenant*, dat in april 1912 voor de eerste keer verschijnt. Het eerste nummer opent met een van de drie gedichten die Cravan tijdens zijn leven publiceerde. 'Sifflet' laat duidelijk zien dat Cravans kijk op de poëzie gedurende zijn verblijf in Parijs ingrijpend is veranderd. Het gedicht lijkt vroeg-dada, een aankondiging van wat er allemaal te gebeuren staat (de vertalingen van de poëzie van Cravan zijn van Peter Kouwenberg):

Stoomfluit

De zeekastelen wiegen op het ritme van de oceaan,
En in de lucht waar de lichten dansen als draaitollen,
Naderen als beren zo soepel de matrozen,
Terwijl de onbevreesde sneltrein fluit bij aankomst in Le Havre.
New York! New York! woonde ik er maar!
Ik zie hoe de wetenschap er huwt
Met de industrie,
In een gedurfd modernisme.
En in de paleizen,
Wereldbollen,
Die het netvlies verblinden,

Met hun ultraviolette stralen;
De Amerikaanse telefoon,
En het vederlichte
Van de liften...

Het uitdagende schip van de Engelse Maatschappij
Zag hoe ik aan boord ging, in hevige opwinding,
Dolblij met het comfort van het mooie stoomschip,
En zijn elektriciteit,
Die de trillende hut bij vlagen verlichtte.
De hut in een gloed van koperen stangen,
Waarop mijn handen secondenlang genoten, dronken,
Plots huiverend in het bad van kil metaal;
Een beslissende duik die mij nieuwe lust gaf,
Terwijl bij de prille geur van nieuw vernis
Het schel moment mij weer te binnen schoot,
Dat ik wegliep van de facturen en als een ei rolde
In het uitzinnig groene gras.
Wat bracht m'n hemd me buiten mezelf! o! je te voelen trillen
Als een paard in de vrije natuur!
Wat had ik graag lopen grazen, willen draven!
En wat was ik thuis op het dek, wiegend op de muziek;
En wat is kou een intense sensatie,
Als je ademhaalt!
Maar omdat ik niet kon hinniken of zwemmen,
Begon ik een praatje met enkele passagiers,
Die naar de golvende waterspiegel stonden te kijken;
En tot we de vroege trams zagen aan de horizon,
En de gevels van de huizen wit opdoemden,
Voeren wij ongedeerd zevenmaal vierentwintig uur,
Onder de besterde circustent, onder regen en onder zon.

De handel beloonde mijn jeugdig initiatief:
Acht miljoen die ik in conserven verwierf,
En het beroemde merk met de kop van Gladstone,

Leverden mij tien stoomboten op, elk van vierduizend ton.
Die onder de vlag met mijn initialen varen,
En mijn macht vestigen op de oceaan.
Ik heb ook al mijn eerste locomotief:
Zij blaast stoom af, als paarden die briesen,
En onder bekwame handen haar trots verliezend,
Rijdt zij als een razende, ongenaakbaar op acht wielen.
Zij trekt een lange sleep in haar rit vol avontuur,
Door het groene Canada met zijn maagdelijke bossen,
Over mijn bruggen, over een karavaan van bogen,
Bij dageraad, door de akkers, het vertrouwde koren.
En steeds als zij een stad meent te zien in de sterrennacht,
Fluit zij onafgebroken door de dalen,
En droomt van de oase: het station met glazen kap,
In het warnet van rails, die zij bij duizenden kruist,
Waar zij denderend heen rolt, in een wolk van stoom.

Cravan verkocht zijn tijdschrift vanaf een handkar, bij de uitgang van de draverij van Gaumont en overal in de straten van Parijs. Je vraagt je af hoe hij zijn waren aankondigde ('Lees *Maintenant*! Het tijdschrift van de dichtende bokser, de oomzegger van Oscar Wilde!') en hoe de argeloze koper op het blad inreageerde. Het derde nummer (maart-april 1914), waarin hij inhakte op de schilders van de Exposition des Indépendants (Koschinski, Malevitsj, Delaunay, en Marie Laurencin, over wie hij schreef: 'Dat is er een die ze haar jurk moesten optillen om ergens een dikke ... naar binnen te schuiven en haar te leren dat kunst meer is dan een beetje voor de spiegel zitten.') bezorgde hem een rel en zelfs gevangenisstraf.

Uiteraard werd er in *Maintenant* ook gebokst. 'Dichter en Bokser' heet het 'prosopoème' (een gedicht dat van proza in poëzie overgaat) waarmee hij het vijfde en laatste nummer (maart-april 1915) vulde. Deze verbazingwekkende tekst begint zo:

Hoeioeioeih! Binnen 32 uur vertrok ik naar Amerika. Nog maar net 2 dagen terug uit Boekarest, of ik was in Londen en had de man gevonden die ik nodig had: die al mijn reiskosten betaalde voor een tournee van 6 maanden – zonder garantie nota bene! –, maar daar had ik lak aan. En dan, ik zou mijn vrouw toch niet bedriegen!!! verdomd nog aan toe! En dan, u raadt nooit wat ik moest doen: ik moest vechten onder het pseudoniem Mysterious Sir Arthur Cravan, de dichter met het kortste haar van de wereld, kleinzoon van de kanselier der Koningin, natuurlijk, neef van Oscar Wilde, ook al natuurlijk, en achterneef van Lord Alfred Tennyson, alookal natuurlijk. (Word ik even intelligent!) Mijn nummer was iets heel nieuws: Tibetaans worstelen, het wetenschappelijkste dat we kennen, veel erger nog dan jiu-jitsu: een druk op een zenuw of een pees en hup! de tegenstander (die niet was omgekocht,) (alleen maar een klein beetje) viel als door de bliksem getroffen! Om je dood te lachen: hoeioeioeih! daar kwam nog bij dat het een goudmijntje kon worden, want ik had berekend dat het mij, als alles meezat, zo'n 50 000 franc kon opbrengen, en dat is niet te versmaden. In elk geval was het altijd beter dan de spiritistische truc, die ik aan het bedenken was.

Een paar maanden na het verschijnen van de laatste *Maintenant* sloeg Cravan op de vlucht voor de oorlog om via Spanje in New York te belanden. Daar werd op vrijdag 25 mei 1917 in de Ultra Bohemian, Pre-Historic, Post-Alcoholic Webster Hall op 119 East 11th Street ter ondersteuning van *Blindman A Magazine of Vers Art* het Blindman's Ball gegeven. Beatrice Wood tekende de beroemd geworden affiche en tout New York kwam zijn gezicht laten zien. Onder de aanwezigen was behalve Cravan de dichteres Mina Loy. Ze vielen als een blok voor elkaar. Volgens het verhaal was Cravan haar opgevallen toen hij zich van zijn kleren ontdeed, terwijl zij samen met vier anderen het bed van Marcel Duchamp deelde. Hoe deze informatie te interpreteren is onduidelijk, maar vanaf die avond waren Cravan en Loy onafscheidelijk. Mina Loy heeft hem, aan het einde van de jaren dertig, beschreven als een bijzondere man, met wie iedereen maar wat graag bevriend wilde zijn, die niets gaf om materiële zaken en nooit wist waar en of hij wel ging eten, noch of hij een plek om te slapen had.

Cravan en Loy bleven tot december samen in New York, toen vertrok Cravan om niet opgehelderde redenen richting Mexico.

Op 18 december 1917 overschrijdt hij bij Laredo en Nuevo Laredo de Amerikaans-Mexicaanse grens. De volgende dag gaat hij op weg naar Mexico City, vanwaar hij Buenos Aires wil bereiken. Aan Mina Loy, die in New York is achtergebleven, schrijft hij op 22 december over zijn problemen om uit Mexico City weg te komen, maar belangrijker lijkt zijn wanhopige liefdeskreet: 'Ik heb nooit gedacht dat het mogelijk was zo te lijden, ik begin zelfs voor mijn verstand te vrezen.' Twee dagen later schrijft hij: 'Vandaag had ik de boot naar Buenos Aires moeten nemen, en ik heb het niet gedaan. Ik had die reis niet kunnen verdragen, ik begin mijn verstand kwijt te raken. Me van jou verwijderen, onmogelijk. Je moet hier bij me komen of ik sta niet meer voor mezelf in.' En op de 25e: 'Ik ben als de dood gek te worden. Ik eet niet meer en ik slaap niet meer. (...) Je moet komen of anders kom ik naar New York of pleeg zelfmoord. Ik word door zo'n buitengewone liefde bezeten dat die alleen te vergelijken valt met zo'n buitengewoon talent dat men maar één keer in de vijftig jaar ontdekt.' Ten slotte doet Mina Loy wat er van haar wordt verlangd en in januari voegt ze zich bij Cravan, die op dat ogenblik bezig is voet aan de grond te krijgen in de bokserskringen van Mexico City. Een krant meldt dat Enrique Ugartechea, directeur van de gelijknamige sportschool in New York, een contract heeft gesloten met de Zwitserse bokser Arthur Cravan. 'Deze bokser heeft in Barcelona, in de arena La Monumental, meerdere ronden standgehouden tegen de gevreesde kampioen Jack Johnson.'

In april 1918 trouwen Cravan en Mina Loy om vervolgens enige tijd onzichtbaar te worden. Cravans enige levensteken bestaat uit een kaart aan Renée, zijn vorige geliefde, die hij vraagt naar Mexico te komen, omdat hij nog steeds van haar houdt. Renée reageert niet, voor zover wij weten. Op 6 september meldt *Arte y Deportes* dat Cravan de uitdager is van de al genoemde Black Diamond, in een gevecht om de Mexicaanse titel: 'De beste manier om Cravans lof te zingen is erop te wijzen dat hij drie jaar geleden in Barcelona tegen de verschrikkelijke Jack Johnson 17 ronden overeind is gebleven.' Het gevecht is gepland voor 15 september. Twee dagen daarvoor gaat *Arte y Deportes* bij Cravan op bezoek: 'Iemand laat me binnen in de kamer van de krachtige en gespierde bokser die me een hand geeft alsof we oude vrienden zijn, me vraagt te gaan zitten en zegt: "Ik kom uit Zwitserland, ik heet Arthur Cravan, ik ben zevenentwintig jaar, ik ben getrouwd. Sinds zeven jaar boks ik overal op de wereld."' Het gevecht ging over twintig ronden. In de eerste ronde heeft Cravan een licht voordeel, de Black Diamond gaat zelfs een keer tegen het canvas, maar in de tweede ronde is het gedaan met Cravan: 'Smith profiteerde (...) met een rechtse op de maag gevolgd door een serie linkse directen op de kaak die Cravan buiten gevecht stelden en wel zo dat de arbiter hem moest uittellen. (...) Het gevecht duurde precies vijf minuten en het publiek vond zijn pleziertje nogal duur betaald. Staand en met uitgestrekte handen waarin ze hun kaartjes hielden, vroegen ze luidkeels hun geld terug, omdat het gevecht er alle schijn van had doorgestoken kaart te zijn geweest.'

Cravan streek zijn geld op en vierde samen met Mina zijn feestje en daarna trokken ze samen door Mexico, naar Veracruz. Het lijkt waarschijnlijk dat ze daarvandaan naar Buenos Aires hebben willen vertrekken, maar ze zagen ervan af en reisden weer noordwaarts. Onderweg leefden ze van de bokspartijtjes die Cravan op touw zette, totdat ze de havenplaats Salina de Cruz bereikten. Hier nam de zwangere Mina de boot naar Buenos Aires. Cravan bleef achter en sindsdien is er niets meer van hem vernomen.

Uiteraard is er eindeloos over Cravans verdwijning gespeculeerd, waarbij de boot die hij zou hebben gekocht om via Kaap Hoorn naar Buenos Aires te zeilen een hoofdrol speelt. Het is hoogst onwaarschijnlijk dat Cravan het geld voor zo'n boot bij elkaar heeft kunnen krijgen, maar Mina Loy heeft later wel gezegd dat er een boot is geweest, al was die van aanzienlijk geringere afmetingen. Cravan zou hem hebben gekocht in Puerto Angel, een haven op vier dagen varen van Salina Cruz. Het geld zou afkomstig zijn geweest van de match tegen de Black Diamond en iedereen die aan de partij had verdiend, zou meebetaald hebben. Zij zaten in een hotel in Salina Cruz en wachtten daar op Cravan, die dus niet meer boven water kwam, maar waar dit onwaarschijnlijk gezelschap van plan was naar toe te gaan, vertelt het verhaal niet. Ik denk dat de hele geschiedenis uit de duim van Mina Loy afkomstig is en door haar is gebaseerd op andere bootverhalen die de ronde deden. Je moet op zo'n moment iets vertellen.

Hoe het ook zij, geen enkel onderzoek naar Cravans verdwijning heeft ooit enig tastbaar resultaat opgeleverd, waarmee de weg vrij kwam om die te interpreteren als een poëtische daad. Was Arthur Cravan niet altijd een uiterst provocerend dichter geweest en was deze verdwijning niet zijn laatste provocerende gedicht? William Carlos Williams formuleerde het zo: 'Mina trouwde met Cravan en ze vertrokken naar Midden-Amerika, waar hij een boot kocht die hij uitrustte om er de zee mee op te gaan. Toen hij daarmee klaar was, wilde hij hem, diep gelukkig, op een middag, voor het eten, uitproberen in de baai. Hij kwam niet terug. Vanaf de kust zag Mina, zwanger, de boot langzaam achter de horizon verdwijnen, voor altijd...'

Cravan heeft weinig geschreven, maar wat hij schreef is overeind gebleven. Dit is 'Olifantsloomheid':

Ik voerde, m'n beste Mississippi! een luisterrijke staat,
Verachtte, zilte slak, de dichters en ik vertrok,
Maar zoveel liefde op stations en op zee zoveel sport!
Record! Ik was zes (de frisheid van pis en van buiken de dageraad!)

En vanochtend vloog de sneltrein van tien over tien
Over de rails, langs treinen waar je doorheen kon zien,
En wierp mij in de lucht, achtbaan in duikvlucht.
Hij ging honderd per uur en ondanks het bonken
– De tover der kranten maakte de rokers dronken,
En al was de hele trein behoorlijk op dreef,
Gangmaker, met een spoor van stormvogels en duiven –
Werd de razende vaart mijn wiegend matras.
Mijn denken werd blond, het koren stond stralend te wuiven,
De koeien graasden in het schooiergroen der weiden,
Ik was dolblij bokser te zijn en groette lachend het gras.

Maurice Blanchard, dichter en vliegtuigbouwer

Maurice Blanchard (1890-1960) werd geboren in het ten noorden van Parijs gelegen Montdidier. In *Danser sur la corde*, zijn oorlogsdagboek, komt een herinnering aan een filmbezoek ter sprake. De herinnering plaatste hij tegen het einde van de vorige eeuw toen hij acht of negen jaar oud was:

Je had ook de eerste bioscoop, in een tent die op de paardenmarkt stond. Voor vijftig centimes zag je er *l'Arroseur arrosé* en een achtervolging van dieven die van het ene raam naar het andere sprongen, over de straat heen, alle kinderlijke trucs van de film. Ik vond er niets aan, ik stelde me al zulke veel toverachtiger scènes voor dat dit me ouderwets leek, achterhaald. Het trillen van de beelden ontnam ze ieder belang. Je kon veel te goed zien dat het maakwerk was. De motor die voor de stroom zorgde en die op een wagen achter de tent stond, interesseerde me veel meer. Ik zat er uren naar te kijken hoe hij draaide. Daar zat meer leven in dan in hun film.

Een kind dat niet in het wonder van de bewegende beelden is geïnteresseerd maar in een machine!

Op zijn twaalfde vond zijn onderwijzer dat hij verder moest leren, maar zijn moeder, met wie hij een extreem slechte verhouding had (hij vertelt dat hij zich niet kan herinneren dat ze ook maar één keer aardig tegen hem is geweest) vond dat niet nodig en hij werd leerling-slotenmaker bij de plaatselijke smid. 'Een tijdje later,' schrijft Blanchard, 'een groot geluk, de tienurige werkdag, met een schaduw: op zondag de werkplaats schoonmaken, het gereedschap opruimen en het schroot sorteren. Daar had de wet het niet over, niet voor, niet tegen, dus...' De wanhoop klinkt nog altijd door in deze paar regels.

Van zijn zestiende tot zijn achttiende werkte Blanchard in verschillende fabrieken en op zijn achttiende tekende hij voor vijf jaar bij de marine. Omdat hij niet wist dat hij recht had op een vrij-vervoertje ging hij te voet van Montdidier naar Toulon. Eenmaal bij de marine begint hij in hoog tempo zijn opleidingsachterstand in te halen. Als de oorlog uitbreekt, komt hij bij de marine-luchtvaart; hij is een van de weinige overlevenden van het beroemde Duinkerken-eskader. Hij is de eerste die een Duitse onderzeeër tot zinken brengt.

Na de oorlog voltooit hij zijn opleiding en wordt ontwerper van vliegtuigen, met name van watervliegtuigen. In 1924 verbetert zijn Blanchard M.B.3 het wereldhoogterecord. Een buitengewone man met een buitengewone loopbaan, maar toch begint zijn echte leven pas in 1927, op zijn zevenendertigste. Hij leest een gedicht van Éluard en deze ontdekking van het woord wordt zijn persoonlijke 'verlossing'. 'De poëzie heeft mijn leven gered,' zegt hij. Hij gaat schrijven en later zal hij zeggen: 'Als ik schrijf, is het om me niet te doden. Het is mijn transfiguratie.' 'Als Blanchard het woord neemt,' schreef Jean-Hughes Malineau, 'is het dat van een dol geworden wild beest, dat, uitgehongerd, na zevenendertig jaar gevangenschap wordt losgelaten.' Zelf zegt hij dat hij 'de zevenmijlslaarzen heeft aangetrokken en dat het de dood of de verrijzenis' zal worden.

In Blanchards ervaring was het 'het gedicht dat de dichter schrijft' en in zijn teksten gaat het om 'de herinnering aan de herinnering', een methode die hem in staat stelt de werkelijkheid los te laten zonder hem buiten te sluiten. Hij is direct en mysterieus tegelijk, onontkoombaar. Het doet pijn hem te lezen:

De torenklok

De dronkaard is op de stenen treden gaan liggen, en het steen is zacht geworden. Het is een bed van bloemen dat de dronkaard wiegt, een lied. En de steen is daar, die van eeuwigheid getuigt. De wijze mens spuugt op de dronkaard, maar de Zon blinkt op de stenen en de wolken gaan driemaal de wereld rond. Zij veranderen het licht dat de stenen blinken doet. De ogen van de dronkaard blinken en zingen. Vandaag, 21 juni, is het middag en het is zomer. Het zal altijd middag zijn en het zal altijd zomer zijn. De zwaluw heeft zijn nest boven in de toren gebouwd en de klimop van de herinnering prikt vanuit zijn stalen snavel onvermoeibaar in de voegen van het steen dat blinkt en dat zingt.

In de oorlog werkt Blanchard voor de Duitse vliegtuigfabriek Junker. Tegelijkertijd publiceert hij in door de illegale pers uitgegeven en verspreide blaadjes en tijdschriften. Hij correspondeert met René Char, heeft contact met Éluard. Niemand lijkt hem iets te verwijten, terwijl hij toch niemand verteld zal hebben dat hij deel uitmaakt van een verzetsgroep die hem als mol bij Junker heeft geplaatst. Op 10 oktober 1945 krijgt Blanchard voor zijn illegale werk het Verzetskruis uitgereikt. En veel meer weten we niet over zijn rol in de illegaliteit, hij heeft er nooit met iemand over gepraat. In zijn dagboek ook geen woord en dat is niet omdat hij zich voorzichtig opstelt in deze pagina's. Integendeel, als het dagboek tijdens de oorlog was gevonden, hoeven we er niet aan te twijfelen hoe het met de schrijver was afgelopen.

Bij Junker had Blanchard vrijwel niets te doen en voor het eerst van zijn leven kan hij zich echt aan schrijven wijden. Hij schrijft poëzie, en over poëzie in zijn dagboek. Op donderdag 24 juni 1943 noteert hij: 'La poésie, c'est la grande explication. Le poème écrit un blanchard. Le casseur d'images. Je ne sais plus qui a dit qu'on faisait de la poésie avec des mots, je sais bien qui l'a répété: Valéry. On s'en fout, des mots. C'est avec des images qu'on fait de la poésie, et même avec des images sans mots, preuve par neuf que c'est faux.' En op zaterdag 3 juli 1943: 'Ik was dit dagboek begonnen om mijn gedachten over poëzie te noteren, omdat die het onderwerp zijn van de uren werk die ik aan het Nieuwe Europa dank. Maar dat zijn vertrouwelijkheden die het papier afstoot. Ik probeer te bedenken waarom en ik denk dat het komt omdat dit dagboek alles wat niet poëtisch is, moet opzuigen, zodat mijn gedichten bevrijd zullen worden van dagelijkse dingen. Ik reinig het systeem.'

Ook na de oorlog blijft Blanchard een dichter in de marge. De bescheiden uitgave van zijn verzameld werk heeft hij niet meer meegemaakt. Maar hij wist dat hij prachtige dingen had geschreven:

Leven is uitvinden

In de door onweer stukgeslagen nacht, gezeten op de rand van een oude put, keek ik strak in dat verkalkte Gorgonenoog, dat mij al verscheurde aan het andere einde van de wereld. Het is niet met je handen dat je de waarheid pakt, dat doe je door in het diepste van de afgrond te jagen op de duisternissen van het bestaan. Zo luisterde ik naar de welluidende zangen van de nacht die opstegen uit gapende golven. Zijn dageraad aanschouwen, dat is een onbeschrijfelijk geluk.

Céline en Bébert

Als het over Louis Ferdinand Céline (1894-1961) gaat, voel ik mij altijd hoogst ongemakkelijk. Ik heb het niet zo op Céline. Niet op zijn boeken en niet op de man en daarin sta ik vrijwel alleen. Dat iedereen zo wegloopt met zijn werk bevreemdt mij, de bewondering voor de man vind ik onbegrijpelijk. Wat is het toch dat verstandige mensen ertoe drijft te beweren dat we Célines 'flirt' met het nationaal-socialisme vooral niet te ernstig moeten nemen en dat het met zijn anti-semitisme ook wel meeviel, als hij al een anti-semiet was tenminste, want ook dat staat nog maar te bezien. Met name in het universitaire milieu in Frankrijk heeft de theorie dat er helemaal geen Auschwitz is geweest stevig post gevat – er worden zelfs serieuze wetenschappelijke congressen aan het revisionisme gewijd – en als er geen Auschwitz was, was er ook geen jodenvervolging en geen jodenhaat, waaruit volgt dat het allemaal een complot van het internationale jodendom is, en is dat niet precies wat Céline altijd heeft beweerd? Nou dan!

Het is interessant te zien wat Célinianen die Célines anti-semitisme wel serieus nemen allemaal verzinnen om met name de pamfletten – *Bagatelles pour un massacre* (1937), *l'École des cadavres* (1938) en *Les beaux draps* (1941) – goed te praten. Meestal wordt de metafoor van stal gehaald: Céline schreef wel over joden, maar het ging natuurlijk niet over joden, het ging over het kwaad van de wereld of het slechte in de mens. Ook is wel beweerd dat zijn teksten heel mooi en poëtisch worden als je het woord 'smous' vervangt door bijvoorbeeld 'insect'. Zou kunnen, maar het vervelende is dat er niet 'insect' staat, maar 'smous'. Zelf bedacht Céline na de oorlog dat de pamfletten bedoeld waren geweest om de joden tegen zichzelf te beschermen. Het was een waarschuwing dat ze Frankrijk niet de oorlog moesten indrijven. Deden ze dat wel, dan zou het slecht met ze aflopen, eigen schuld dus.

Wat sterk in het voordeel van de goedpraters van Céline werkt is dat sinds de bevrijding de pamfletten van hun held niet meer worden herdrukt en vaak zelfs in bibliotheken niet te verkrijgen zijn, terwijl antiquarische exemplaren en roofdrukken gigantische prijzen doen. Het gevolg is dat vrijwel niemand weet hoe erg die pamfletten zijn. In Nederland is E. Kummer bij mijn weten de enige die daar iets van heeft laten zien, door in zijn boek *Van de ene dood naar de andere* een kleine selectie citaten uit de pamfletten op te nemen. Om een voorzichtig idee te geven citeer ik er twee. Ze zijn afkomstig uit *l'École des cadavres*:

– 'Naar mijn smaak is het Italiaanse anti-semitisme maar slap, grauw, ontoereikend. Bedenkelijk. Onderscheid tussen goede joden en slechte joden? Dat lijkt nergens naar. Acceptabele joden vaderlanders en niet-acceptabele joden geen vaderlanders? Flauwekul! 't Kaf van 't koren scheiden!'
– 'De joden, Afro-Aziatische bastaarden, kwart negers, halve negers en Midden-Oosterlingen, losgeslagen zedeloze troep, hebben niets in dit land te maken. Ze moeten opsodemieteren. 't Zijn onze niet te assimileren parasieten, verderfelijk, rampzalig, in alle opzichten, biologisch, moreel en sociaal, verrottende zuignappen. De joden zitten hier tot onze ellende.'

Op basis van dit soort teksten is Céline in Nederland wel 'een superieur soort conferencier-op-papier' genoemd. Inderdaad, met Céline was het lachen. De hele natie lag plat toen *Bagatelles pour un massacre* verscheen. En hoe zei hij het ook alweer zo

Louis-Ferdinand Céline in 1934.

leuk in *l'École des cadavres*: 'Ik vind dat onze echte vijanden de joden en de vrijmetselaars zijn. Dat de oorlog die ophanden is, een oorlog is van de joden en de vrijmetselaars, en absoluut niet onze oorlog. Dat het misdadig is dat wij verplicht worden de wapens op te nemen tegen mensen die ons niets doen, dat het alleen maar is om de uitzuigers uit het getto een plezier te doen. Dat we wel gezonken zijn tot de ergste graad van smeerlapperij.' Dat is schuddebuiken, dus vooruit, nog eentje: 'Jullie moeten weten wat jullie willen. Willen jullie van de joden af of willen jullie dat ze blijven? Als jullie werkelijk van de joden af willen, dan zijn er niet duizend en één middelen, duizend en één manieren! 't Racisme! De joden zijn alleen bang voor racisme. Aan het anti-semitisme hebben ze schijt. Ze kunnen altijd nog wel wat vinden op het anti-semitisme. Daar is het nationalisme 's een keer goed voor! En de doop ook! Racisme! Racisme! Racisme! En niet zomaar een beetje, niet aarzelen, maar onbeperkt: totaal: onverbiddelijk!' Je hoort het hem zeggen: 'Racisme! Racisme! Racisme!' – typisch de woorden van een superieur soort conferencier.

Tijdens de bezetting kon Céline ook nog heel leuk uit de hoek komen. Zo zei hij op 7 december 1941 tegen Ernst Jünger dat het hem hogelijk verbaasde dat de Duitsers de joden niet doodschoten, ophingen, uitroeiden, en u zult begrijpen dat toen het zo ver was, de joden – en met name de joden die door de grote komiek persoonlijk waren aangegeven – nog nagierend van de lach in de treinen stapten die hen naar de vernietigingskampen brachten. Heel geestig allemaal, met als hoogtepunt misschien wel zijn opmerking dat de joden eigenlijk een standbeeld voor hem moesten oprichten vanwege het kwaad dat hij hun had kunnen aandoen, maar niet had aangedaan.

Bij de belastering en het aangeven van joden stond Céline altijd op de eerste rij – tot de grond hem te heet onder de voeten werd en hij naar Duitsland vluchtte. Waar hij uiteraard verschrikkelijk heeft geleden. 'Die lui uit Buchenwald,' zei Céline in een interview naar aanleiding van het verschijnen van *D'un château l'autre*, 'iedereen wilde hen omhelzen en knuffelen, terwijl de lui uit Sigmaringen door de wereld werden opgejaagd om ze te kunnen afmaken.' De implicaties zijn duidelijk. Buchenwald is het ergste wat er tijdens de oorlog is gebeurd (het woord Auschwitz is Céline geloof ik nooit over de lippen gekomen) en Buchenwald was nog half zo erg niet als Sigmaringen. Céline kan het weten, want hij was erbij.

Het is een goed voorbeeld van Céliniaanse mythevorming. Hij vervormt de werkelijkheid in zijn romans en vervolgens draagt hij de werkelijkheid van zijn romans als de waarheid uit. Hoe effectief zijn mythevorming is, blijkt als je de volgende vragen stelt:

Wat deed de moeder van Céline?
Hoe kwam Céline in de oorlog terecht?
En door welke verwonding werd hij gedemobiliseerd?

Iedere liefhebber kan deze vragen beantwoorden. Zo dreef Célines moeder een klein garen-en-bandwinkeltje in de Passage Choiseuil, waar het gezin in kommervolle omstandigheden in een kamertje boven de winkel huisde.

In werkelijkheid was Célines moeder antiquair. Ze handelde vooral in kant, antiek kant wel te verstaan, een handel die zoveel opleverde dat zij het zich kon permitteren diamanten te dragen. En Céline, die zich toen nog Louis Destouches noemde, hoopte zich eens op het familielandgoed te kunnen terugtrekken.

Het verhaal van vrijwilliger Céline die een ernstige hoofdwond opliep, is ook niet waar. Céline zat sinds 1912 in militaire dienst, en raakte in de oorlog gewond aan een van zijn armen. Dat hij aan het leger kon ontsnappen en kon terugkeren naar de universiteit dankte hij aan zijn invloedrijke familie en een oom die een belangrijke functie vervulde aan de medische faculteit.

Céline sprak nooit maar dan ook nooit de waarheid.

De volgens zichzelf zo onbaatzuchtige dokter was in werkelijkheid een uiterst berekenend man, altijd in de weer zijn vermogen, in de vorm van staven goud, op een veilige plek onder te brengen. Uiteindelijk belandden ze in Denemarken. In maart 1942 al probeerde Céline een visum voor Denemarken te krijgen. Maar ja, klaagde hij, de burelen van de Duitse regering waren vergeven van de joden, dus dat lukte niet.

Wat hij en zijn bewonderaars later ook hebben beweerd, Céline was een fanatieke anti-semiet en een enthousiaste nazi, waarbij aangetekend dat zijn enthousiasme voor de zaak na de Duitse nederlaag in Stalingrad een stuk minder werd. Vanaf dat moment heeft hij in ieder geval niet meer de moeite genomen nog iemand bij de Duitsers aan te geven.

Als het over Céline gaat, voel ik mij altijd ongemakkelijk. Liever heb ik het over Bébert, de kat van Céline.

In 1929 woonde Céline, die toen nog Louis Destouches heette en sinds enkele maanden aan de roman werkte die zou uitgroeien tot *Voyage au bout de la nuit*, samen met de Amerikaanse Elizabeth Craig in een klein appartement in de rue d'Alsace 33 in Clichy. Een vlooienplaag deed hen besluiten het huis te verlaten en te verruilen voor een appartement op Montmartre, in de rue Lepic 98. Ze woonden op drie hoog, onder het dak. Het was een eenvoudig ingericht appartement, waarin alleen een pastel van Degas, een danseres, opviel. Er woonden nog altijd veel kunstenaars op Montmartre en Céline raakte bevriend met de schilder Gen Paul, de schrijver Marcel Aymé, die het ook na de oorlog altijd voor hem zou blijven opnemen, en de acteur Robert Le Vigan.

Elizabeth Craig en Céline onderhielden in die dagen een even gepassioneerd als gecompliceerd seksleven. Céline zag graag dat ze in zijn aanwezigheid met zijn vrienden naar bed ging. Omdat Craig hier geen enkel bezwaar tegen had, gebeurde dat vaak. Begin 1930 had Craig dansles genomen. Ze ontmoette er een Deense danseres die optrad in revues in Amerika, Duitsland en Parijs. Ze heette Karen Marie Jensen. Craig en Jensen werden verliefd op elkaar. In februari 1931 stelde Craig haar geliefde aan Céline voor en, zoals Célines biograaf Frédéric Vitoux schrijft, 'ze vormden een merkwaardig trio, partners op sensueel gebied, afwachtend, dubbelzinnig en op een min of meer verhulde manier jaloers op elkaar.' Vitoux suggereert dat Jensen dermate van Céline gecharmeerd was, dat Elizabeth

Titelpagina van het manuscript van Voyage au bout de la nuit.

Craig zich steeds verder terugtrok en uiteindelijk voorgoed naar Amerika terugkeerde. Dat was in 1932. Toen het aan haar opgedragen *Voyage au bout de la nuit* verscheen, was zij er niet bij.

Céline had het manuscript van zijn roman op 14 april 1932 bij Gallimard ingeleverd. Enkele dagen later stuurde hij het ook naar Denoël. Beide uitgevers wilden het hebben. Het werd Denoël, die twee uur eerder reageerde dan Gallimard.

Voyage au bout de la nuit verscheen op 15 oktober 1932. De Prix Goncourt ging dat jaar naar *Les Loups* van Guy Mazeline, maar Célines naam was vooorgoed gevestigd.

Céline bleef tot september 1935 in de rue Lepic wonen. In dat jaar, het jaar voor het verschijnen van *Mort à crédit*, werd in de omgeving van Parijs of in Parijs zelf een katje geboren, dat al snel op de dierenafdeling van warenhuis La Samaritaine belandde.

En het geschiedde in die dagen dat regisseur Julien Duvivier een film maakte, *Golgotha*, waarin Robert Le Vigan de rol van Christus speelde. Tijdens het draaien van de film werd Le Vigan verliefd op een Algerijnse figurante, Tinou. Het stel besloot een kat te nemen. Bij La Samaritaine zochten ze een katertje uit dat ze Chidibaroui noemden en dat bij hen kwam wonen in hun appartement in de rue Girardon. Over de eerste jaren van Chidibaroui is weinig bekend behalve dat Le Vigan in het kats gesprekken met hem voerde.

Chidibaroui bleef bij Le Vigan en Tinou tot het stel uit elkaar ging. Dat was eind 1942. In de jaren die aan hun scheiding voorafgingen, wist heel Montmartre het als ze ruzie met elkaar hadden, want dan zwierf de kater door de wijk en scharrelde zijn eigen kostje bij elkaar. Toen Le Vigan en Tinou elkaar verlieten, lieten ze de kat aan zijn lot over.

Céline, die inmiddels was getrouwd met Lucette Almansor, was in 1941 teruggekeerd naar Montmartre. Het echtpaar betrok toen een appartement in de rue Girardon 4. Lucette Destouches ontfermt zich over de zwerfkat en na aanvankelijke bezwaren van Céline nemen ze hem in huis. Een paar dagen later is het de kat van Céline geworden. Chidibaroui wordt Bébert, naar het jongetje uit *De reis naar het einde van de nacht*.

Bébert wordt naast Lucette de liefde van Célines leven. Iedere nacht verlaat de drie-eenheid het appartement voor een wandeling. Ze dalen de trappen van Montmartre af en lopen naar de place Blanche, de Trinitékerk en soms zelfs naar de Boulevards. 'Hij is maar voor één ding bang: motorfietsen,' schreef Céline in *Féerie pour une autre fois*. 'Reed er een op straat, zelfs ver weg, dan sprong hij met al zijn klauwen uit boven op me, klampte hij zich aan me vast als later aan een boom...' De nachtelijke wandelingen gaan door tot het voorjaar van 1944. Céline wordt regelmatig bedreigd en het lijkt hem verstandiger zich niet meer op straat te vertonen.

Hij besluit naar Duitsland te vluchten om vandaar te proberen zijn goud in Denemarken te bereiken. In die periode krijgt hij een brief van de bekende kattenliefhebber Paul Léautaud. 'Bij de bevrijding,' schrijft Léautaud, 'zullen ze u zeker uit de weg ruimen en daar hebt u het ook naar gemaakt, ik zal er geen traan om laten, maar u zult in vrede kunnen sterven, want ik ben bereid me over Bébert te ontfermen, de enige die me wel wat kan schelen.' Céline gaat niet op het aanbod in. Via een Duitse relatie krijgt Bébert een paspoort en een gezondheidsverklaring en op 17 juni vertrekken Céline, Lucette en Bébert met de trein naar Baden-Baden. Bébert zit in een weitas, waar Lucette de nodige gaten in heeft gemaakt. In Baden-Baden, waar Le Vigan zich bij hen heeft gevoegd, logeren ze in het chique Park Hotel. Aangelijnd maakt Bébert wandelingetjes door de stad. Van Baden-Baden gaan ze naar Kränzlin, zestig kilometer ten noordwesten van Berlijn. Als Céline de hoop heeft opgegeven op korte termijn een visum voor Denemarken te krijgen, meldt hij zich als arts aan in Sigmaringen, waar de Duitsers de collaborateurs van het Vichyregime hebben ondergebracht. Via Berlijn, Leipzig, Augsburg en Ulm reizen ze naar het zuiden. Onderweg worden ze overal feestelijk ingehaald door hooggeplaatste nazi's. In Ulm ontmoeten ze zelfs maarschalk Von Rundstedt, die vooral belangstelling voor Bébert heeft.

Van november 1944 tot februari 1945 verblijven Céline, Lucette en Bébert in Sigmaringen. Ze maken wandelingen, Lucette danst, Céline heeft het druk met schurft en syfilis. Bébert springt op hun kamer in hotel Löwen eindeloos van het ene bed op het andere.

Dan krijgt Céline toestemming naar Denemarken te vertrekken. Bébert wordt ondergebracht bij een plaatselijke kruidenier, maar weet in de loop van de nacht te ontsnappen door een ruitje te breken. 'Hij loopt,' zo schrijft Bébert-biograaf Frédéric Vitoux (de vertaling is van Jan Versteeg), 'de hele stad door, vindt de Löwen, de trap, de verdieping en de kamer terug. Hij wacht

Louis-Ferdinand Céline in Meudon 1959.

voor de deur, de glasscherven nog in zijn vacht. Zijn bazen stoppen hem weer in zijn weitas. Geen sprake meer van dat ze hem in de steek zullen laten.'

Begin maart beginnen ze hun reis naar het noorden. 'Lucette,' schreef Céline later in een brief aan zijn vriend dokter Camus, 'had hem (Bébert) in een weitas gestopt. Zo droeg ze hem achttien dagen en achttien nachten mee, zonder dat hij dronk, at, hoefde pissen of iets anders. Hij gaf geen krimp, miauwde niet één keer. Hij was zich bewust van de tragedie. We moesten zevenentwintig keer overstappen. Alles ging onderweg verloren of verbrandde, behalve de kat. We legden 37 kilometer te voet af, van het ene leger naar het andere, erger onder vuur liggend dan in '17.'

Op 27 maart 1945 komen ze in Kopenhagen aan, waar ze van Célines ex-geliefde Karen Marie Jensen een appartement te leen krijgen. Op 27 december van dat jaar wordt Céline gearresteerd. Hij komt terecht in de Vestre Faengsel-gevangenis, waar hij achttien maanden zal worden vastgehouden. Tweemaal in de week komen Lucette en Bébert hem bezoeken. In februari 1947 wordt bij Bébert kanker geconstateerd. Na de succesvol verlopen operatie wordt Lucette ziek. Céline, ook ziek, ligt inmiddels in het Rigshospital, waar hij Bébert op zijn kamer verbergt. Bébert doet zijn behoefte op een krant die Céline vervolgens in de prullenmand laat verdwijnen. Als Bébert iemand hoort aankomen, verstopt hij zich in een kast.

Als Céline is hersteld, wordt hij op erewoord vrijgelaten. Tot 19 mei 1948 woont het drietal op Kronprinsgatan 8, dan gaan ze in een huisje op het landgoed van Célines advocaat Thorval Mikkelsen wonen. Céline en Lucette nemen drie zwerfkatten op, maar dat lijkt Bébert niet te deren. Een Franse vriendin die hen in Denemarken bezoekt, noteert: 'Wanneer de andere katten hem (Bébert) met hun gestoei en gekrijs storen, hoeft hij maar even te grommen om zijn voetvolk weer in het gareel te krijgen.'

Op 25 april 1951 wordt in Frankrijk een amnestie afgekondigd en op 1 juli vliegen Céline, Lucette en Bébert naar Nice. Terug in Parijs vestigen ze zich in Meudon. Begin 1952 komt het einde van een wonderbaarlijk kattenleven. Bébert sterft en wordt in de achtertuin begraven. Célines afscheid van zijn geliefde Bébert staat in *Noord*: '... hier is ie gestorven, na heel wat gebeurtenissen, cachotten, kampementen, puinhopen, heel Europa... lenig en gracieus is hij gestorven, onberispelijk, dezelfde ochtend sprong hij nog door het venster...'

Albert Cohen en zijn Dapperen

In het derde hoofdstuk van zijn in 1938 verschenen roman *Mangeclous* zegt Albert Cohen (1895-1981): 'En dan nu enkele losse notities, in haast, over de Dapperen. Ik maak ze alleen voor de mensen die *Solal* niet hebben gelezen.' Een zichzelf serieus nemende 'echte' schrijver zou zoiets natuurlijk niet doen, zoals hij ook nooit hele stukken uit het ene boek vrijwel letterlijk zou herhalen in een volgende roman of een van zijn hoofdpersonen iets zou laten zeggen in de trant van: 'Hoezo ik niet bekend? Heb je dat boek van die schrijver met die rare naam dan niet gelezen, hoe heet hij, Cohen geloof ik, dat gaat vrijwel uitsluitend over mij.'

Albert Cohen doet die dingen dus allemaal wel, zoals hij zijn boeken ook niet schreef maar dicteerde, en ons regelmatig vergast op gesprekken die hij voerde met de geliefde die zijn woorden noteerde. In het tweede hoofdstuk van *Les Valeureux* uit 1969 gaat dat zo: 'Genoeg over Mangeclous. Ik had die beslissing nog maar net genomen of nieuwe details over de Bey der Leugenaars zijn me te binnen geschoten. Ik heb een dierbaar persoon geraadpleegd. "Kan ik er nog niet wat aan toevoegen?" heb ik haar gevraagd. Omdat ze redelijk is, antwoordde ze: "Je hebt al zoveel gezegd over Mangeclous, je moet van ophouden weten."' Dan ziet ze zijn teleurstelling en beslist dat hij er nog wel iets aan mag toevoegen, '"maar niet overdrijven"'. Gelukkig maar, want nu krijgen we nog het verhaal van de noga en de vleermuizen te horen en leren we samen met de kinderen van Kefallonia in recordtijd Carabisch: 'Als je, lief kind, sigaret wilt zeggen in het Carabisch, zeg je sig, als je roltrap wilt zeggen rolt, als je passaatwind wil zeggen pass, en zo verder.' Vernemen we dat de dochters van Mangeclous Trésorine en Trésorette heten en dat Mangeclous ook werkzaam is als paardentandarts.

Cohens onweerstaanbare Dapperen spelen een rol in *Solal* (1930), *Mangeclous* (1938) en *Les Valeureux* (1969). Ze zijn met z'n vijven: Saltiel, Mangeclous, Mathatias, Michael en Salomon. Aan het einde van de achttiende eeuw zijn hun voorvaderen vanuit Frankrijk naar Kefallonia gekomen en zij spreken nog altijd Frans. Op winteravonden komen ze bij elkaar om Villon, Rabelais, Montaigne of Corneille te lezen. De Franse toeristen die hun eiland aandoen, verrassen ze niet alleen met cadeautjes maar ook met hun archaïsch taalgebruik.

Michael is de ladies-man van de vijf, Mathatias is zuinig. Zo sleept hij vaak aan een touw een magneet achter zich aan om op die manier spelden te vergaren en staan zijn ogen scheef van het in donkere hoeken kijken om te zien of er niet toevallig een portemonnee ligt; en koffie koopt hij per half ons, want als je een pond koopt en doodgaat voor dat op is, zou dat zonde zijn. Salomon is zo klein dat hij in een kinderbedje slaapt, omringd door stoelen die moeten voorkomen dat hij eruit valt, en is de goedheid zelve. 's Zomers verkoopt hij abrikozenwater en limonade, 's winters warme beignets en 's zomers en 's winters poetst hij schoenen, en vaak gratis. Saltiel is de intellectueel van het stel, schrijver van magistrale brieven, onder andere aan de president van de Franse Republiek, maar ook aan de grote schrijver Charles Maurras, die hij probeert uit te leggen dat wij allemaal kinderen van God zijn en dus broeders, dat we elkaar daarom moeten liefhebben en dat zijn anti-semitisme niet de manier is. Overbodig te zeggen dat Saltiel nooit antwoord op zijn brieven krijgt.

Rest Mangeclous, een van de grote romanfiguren uit de literatuur. Eigenlijk heet hij Pinhas Solal en naast Mangeclous heeft hij nog talloze andere bijnamen, zoals Lord High Life en Sultan der Hoesters, Bey der Leugenaars en Op-mijn-Erewoord, Ingewikkeldmaker van Processen en Kapitein der Winden. Dit is de tekst van zijn visitekaartje:

Visitekaartje van Meester Pinhas Solal
Van de Solals afkomstig uit Frankrijk
dat gezegend zij
Maar sinds eeuwen in Ballinschap Helaas
Op Kefallonia Grieks Eiland in de Ionische Zee
Frans Staatsburger Papieren in Orde
Bijgenaamd Op-mijn-Erewoord
Ook bekend als Mangeclous Zeer Bekwaam
Leraar in het Recht Handig Advocaat
Doctor in de Rechten en ongediplomeerd Arts
Stelt uitmuntende Contracten op
En Lastige Overeenkomsten
Dat je er nooit meer Uit Komt!
Ook Genaamd Ingewikkeldmaker van
Processen Die op een dag een Houten
Deur in de Gevangenis liet zetten Men Treft Hem
Gezeten op de trappen van Diverse
Rechtbanken tussen Zes en Elf uur in
De Morgen de Grootste rechtsgeleerde van
Kefallonia Rechtschapen ook Stortingen
In klinkende Munt genieten de Voorkeur Voor
De Onwetenden geven we de Verklaring van
De Zwierige Uitdrukking Klinkende Munt betekent
Geld Maar wij nemen Ook voedsel aan
Thuis vindt U Hem 's Nachts En hij
Neemt ook andere Zaken op Zich Hij had
Diploma's Kunnen Hebben als hij had gewild maar hij
Wou niet Dit Kaartje niet vernietigen
Dat Buitengewoon veel geld en goud heeft gekost

Er is geen onderwerp of Mangeclous kan er een paar uur college mee vullen. In *Les Valeureux* richt hij daadwerkelijk een universiteit op, de Université superieure et philosophique de Kefallonia, waar gedoceerd wordt over onderwerpen als de moeilijkheid van het Frans vergeleken met het Italiaans, dat eigenlijk niets voorstelt. Je kunt je er laten voorrekenen dat de ziel bestaat dan wel niet bestaat, waarbij voor het eerste bewijs een drachme extra wordt gerekend omdat het moeilijker te leveren valt. Ook zullen je de Geheimen van de Douane ontsluierd worden, zodat je kunt Smokkelen Wat je Maar Wilt. Alle colleges worden uiteraard gegeven door Mangeclous zelf:
'Komt allen! Komt uw Brein Vergroten! De Cultuur Is wat de Mens van het Dier onderscheidt! Korting voor Abonnementen! Diploma's Gegarandeerd!'

De verleiding is groot om hier te verhalen hoe Mangeclous overtuigend weet aan te tonen dat Vronski nooit voor Anna Karenina was gevallen als zij in zijn gezelschap eens een stevige wind had gelaten, of hoe hij demonstreert dat je een aangetekend schrijven nooit in een envelop moet versturen. En had ik al verteld dat de kleine Salomon zichzelf in een teil probeert te leren zwemmen en dat Mangeclous een diepe gleuf in zijn schedeldak heeft, waarin hij voorwerpen als pennen, tandenstokers en potloden bewaart? Maar genoeg. De romans van Albert Cohen zijn er om gelezen te worden, navertellen komt daarna.

Zowel *Solal* als *Mangeclous* en *Les Valeureux* beginnen op Kefallonia, dat staat voor het Korfoe van Cohens jeugd, en wel in eind maart of begin april als er een zoete lentewind over het eiland waait. Overal worden de cipressen dan omslingerd door uitbundig blauwe regen. In de velden, waar klingelende schapen grazen, bloeien lupine en slangenkruid, geranium en egelantier, malva en komkommerkruid. Margrieten, boterbloemen en klaprozen kleuren het land onder de olijfbomen vol putters en mezen. Er vliegen witjes en oranjetip, distelvlinders en atalanta's, kleine vos, parelmoervlinders, citroenvlinders en een enkele koningspage. Dit is Cohens geliefde geboortegrond, 'die

Albert Cohen in 1968.

mij tot mijn hele oeuvre heeft geïnspireerd en die in al mijn boeken aanwezig is', zoals hij op 26 maart 1969 schreef in een brief aan de voorzitter van de op Korfoe gevestigde Société de la lecture.

Cohen werd op 16 augustus 1895 geboren. Toen hij zes jaar was, verhuisde de familie naar Marseille en hij keerde nog maar één keer terug, op zijn dertiende, voor zijn barmitswa. Dit verblijf is kort, maar maakt een enorme indruk. In 1954 zegt hij in een radio-interview: 'Ik denk dat dit het mooiste land van de wereld is. Ik herinner me de sinaasappelbossen, de citroenbomen, en reusachtige zilverkleurige olijfbomen vlak aan zee. En dan is er iets nog buitengewoners: dat is de geur, de geur van Korfoe, de zeewind die zich vermengt met jasmijn en kamperfoelie. Voor mij is het het land van het zoete leven.'

Korfoe lijkt minder onder de indruk van Cohen dan Cohen van Korfoe. Als ik in het labyrint van straten in de hoofdstad eindelijk een boekwinkel heb gevonden en naar hem vraag, valt er een pijnlijke stilte. Van de Société de la lecture heeft de boekhandelaar ook nog nooit gehoord, maar mijn vraag of er misschien een synagoge is, kan hij bevestigend beantwoorden. 'En,' voegt hij eraan toe, 'er is nog een boekwinkel.' De synagoge zit hermetisch op slot, maar het is duidelijk dat hij zich bevindt in wat vroeger het joodse hart van Kerkyra was. Hier moet de ruelle d'Or zich hebben bevonden, voor altijd tot leven gewekt in het magistrale vijfde hoofdstuk van *Les Valeureux*, hier moeten ze hebben gelopen, de Dapperen: Mangeclous, Saltiel, Mathatias, Michael en Salomon. De tweede boekhandelaar verwijst me naar het Franse instituut en weet wie de sleutel tot de synagoge beheert, namelijk de man van de handel in toiletpotten en wastafels vlak naast het gebouw. In het Franse instituut, waar tientallen Franse peuters in een piepklein lokaal luidruchtig rondjes rennen, krijg ik het adres van de Société de la lecture en het schemert al als de man van de sanitairwinkel Minos de synagoge voor me ontsluit. Het interieur is streng en sober als van een calvinistische kerk en vijfhonderd jaar in gebruik. 'Cohen moet hier zijn geweest?' vraag ik. De man knikt. 'Natuurlijk.' Maar later zal het iets ingewikkelder blijken.

Bij de Société de la lecture, een uit 1836 daterende organisatie die zich vooral bezighoudt met het bijhouden van zijn prachtige bibliotheek over de Ionische eilanden, hebben ze een mapje Albert Cohen, waarin zich naast een paar krantenknipsels een door Georges X Jessula geschreven studie bevindt met de titel *Corfou Patrie d'Albert Cohen*. De brief die Cohen ooit aan de Société heeft gestuurd is zoek, maar de bibliothecaris weet me te vertellen dat er een straat naar de schrijver is vernoemd.

De studie van Jessula vertelt dat Cohens vader in de eierhandel zat en dat er rond de eeuwwisseling twee groepen joden op Korfoe waren: joden van Griekse en joden van Italiaanse afkomst. Cohen hoorde tot de laatste groep, de Pugliesi. Hij sprak thuis een Venetiaans dialect dat teruggaat tot de tijd van Goldoni. Er waren in die dagen vier synagogen, waarvan er drie de Pugliesi dienden. Ze zijn alle drie tijdens de oorlog door bombardementen verwoest. De synagoge die nog staat is die van de Terrieri, de Griekse joden, en Cohen zal er nooit zijn geweest. Het huis van de familie stond tegen de muren van het Venetiaanse fort en keek uit over de buurt waar zich nu de ruelle Albert Cohen bevindt. Schrijnend proza heeft Cohen aan het getto en zijn bewoners gewijd. Zie alweer het vijfde hoofdstuk van *Les Valeureux*, waar het bruisende en kleurrijke leven in de overvolle straatjes dramatisch stilvalt als de oude en waanzinnige Belline aan haar raam verschijnt en de komst van de Duitse jodendoders voorspelt: '"O onfortuinlijk volk, o nabije slachting! Eeuwige, red ons van de bozen! God van Israël, onze Vader en onze Koning, wij steunen slechts op Uw arm, handel uit liefde voor Uw naam, voorkom de plannen van onze vijanden, red Uw erfenis van de vernietiging, geef ons Jeruzalem terug!" riep in de stilte Bellini de waanzinnige.'

Op 27 september 1943 werd Korfoe door de Duitsers bezet. Op 9 juni 1944 werden de tweeduizend joden van Korfoe door de SS bijeengedreven. Via Lefkada werden ze naar Athene gesleept en vandaar naar Auschwitz, waar vrijwel de hele gemeenschap op 27 juni werd vergast; honderdtwintig overlevenden keerden na de oorlog terug.

Dat is de schrijnende ondertoon die je proeft als je de zo vrolijke avonturen van Mangeclous en zijn Dapperen leest.

Marcel Pagnol en de koerier

Op 16 augustus 1905 werd Albert Cohen tien. Toen hij die dag het lyceum verliet waar hij een cursus rekenen voor achterblijvers volgde, zag hij een oploopje. Het was een standwerker die staafjes verkocht waarmee je alle soorten vlekken kon verwijderen. Als jeugdige immigrant was Cohen gek op standwerkers. Hij hield van hun grappen en bewonderde hun Frans. Hij glipte tussen de mensen door tot hij op de eerste rang stond. Van zijn moeder had hij drie franc gekregen en hij besloot voor de helft van dat geld drie vlekkenstaafjes te kopen. Op die manier zou hij de achting van de standwerker verwerven die hem zolang als hij wilde zou laten luisteren, en bovendien zou zijn moeder nooit meer vlekken hebben. Twee vliegen in één klap. De tienjarige Albert glimlacht van de voorpret. Maar dan stopt de standwerker plotseling met praten. Hij bestudeert het gezicht van het kind en glimlacht op zijn beurt. In *O vous frères humains* herinnert Cohen zich het moment: '"Jij," zegt hij terwijl hij met zijn vinger wijst, "jij bent toch een smous? Een vuile jid? Ik zie het aan je kop, jij eet toch geen varken? Varkens onder elkaar eten elkaar niet. Jij bent toch een vuile jood? Een vuile jood? Je vader hoort toch bij het internationale geldwezen? Jij komt hier toch het brood van de Fransen opeten? Dames en heren, ik stel u voor, een maatje van Dreyfus, een kleine volbloed smous, gegarandeerd van de broederschap van het snoeimes, ingekort waar het hoort, ik herken ze meteen, daar heb ik

Derde klas van het lyceum, schooljaar 1909-1910.
Middelste rij tweede van links: Marcel Pagnol.
Rechts naast hem: Albert Cohen.

een oog voor, nou, hier houden we niet van joden, het is een smerig ras, aan Duitsland verkochte spionnen allemaal, kijk naar Dreyfus, allemaal verraders, allemaal smeerlappen, als de schurft zijn ze, de bloedzuigers van de armen, dat wentelt zich in het goud en rookt grote sigaren, terwijl wij de buikriem moeten aanhalen, zo is het toch, dames en heren, je kunt oprotten, we hebben genoeg van je, je bent hier niet bij je thuis, dit is niet jouw land, je hebt bij ons niets te zoeken, ga maar in Jeruzalem kijken of ik er ben.''' Uitgejouwd en nagewezen gaat de kleine Albert ervandoor, de glimlach op zijn gezicht bevroren.

Een paar weken later, in de eerste klas van het lyceum, ontmoet hij Marcel Pagnol (1895-1974). Drieënzeventig jaar later noteert hij in zijn *Carnets 1978*: 'Gedurende drie seconden denk ik dat Marcel niet dood is, dat ik hem zal terugzien en dat we weer zullen lachen en elkaar omhelzen zoals vroeger. Maar nooit meer, ik weet het, ik weet dat hij alleen is, voor altijd uitgestrekt, doof en ernstig, onbeweeglijk en stom en akelig serieus, de grappenmaker van vroeger, de Marcel van mijn jeugd, die ik meteen liefhad, op mijn eerste schooldag, die ik eerst Pagnol noemde en een paar weken later Marcel, mijn broeder en vriend voor altijd. We kwamen samen uit school, we hielden elkaar bij de hand, en hij bracht mij naar huis en ik bracht hem naar huis en we praatten zonder ophouden, en we lachten en hielden van elkaar, en op een dag heb ik hem op de joodse manier gezegend, ernstig joods kind dat zijn christenbroeder zegent, zijn redder na de vreselijke dag van mijn tiende verjaardag toen ik uit de menselijke samenleving was verjaagd.'

Marcel Pagnol, die als toneelschrijver beroemd werd met *César, Fanny* en *Marius*, stukken waar hij later weer beroemde films van zou maken, was eenenzestig toen hij aan het schrijven van zijn jeugdherinneringen begon. Volgens de overlevering was hij in het voorjaar van 1956 te gast bij Hélène en Pierre Lazareff en vertelde hij daar aan tafel het verhaal over de vier kastelen, waar hij als jongetje iedere zaterdag met zijn vader en moeder en kleine broertje langs liep om de weg naar hun weekendverblijf met enkele kilometers te bekorten. Het weggetje langs de kastelen was verboden terrein en natuurlijk werd de familie op een dag betrapt en wat Pagnol zich vooral herinnerde, was de ontzetting die zich van hem meester maakte, toen hij zag hoe zijn vader voor zijn ogen door de opzichter werd vernederd.

Hélène Lazareff, die hoofdredactrice was van *Elle*, vroeg Pagnol het verhaal voor haar tijdschrift op te schrijven en Pagnol, die beloftes niet schuwde, zei haar toe een verhaal te leveren voor het kerstnummer. In de loop van de zomer vergat Pagnol zijn belofte en het is hier dat een anonieme, zich per fiets verplaatsende koerier zijn intrede doet in de literatuurgeschiedenis. Op een ochtend, het was om een uur of elf, vervoegde hij

Marcel Pagnol, prominent aanwezig op het affiche van de verfilming van zijn toneelstuk.

zich bij Pagnol en zei dat hij het beloofde artikel op kwam halen. 'Goede vriend,' zei Pagnol, 'ik weet dat mevrouw Lazareff vol ongeduld op mijn verhaal zit te wachten en geloof me, ik zou niets liever willen dan haar een plezier doen. Maar helaas, ik ben nog niet helemaal klaar, ik moet nog een paar regels schrijven en ik wil je natuurlijk niet laten wachten. Dus je kunt maar beter teruggaan en dan kom ik het verhaal morgen zelf wel brengen.' Een normale koerier had hier het veld geruimd, maar deze wielrijder was uit ander hout gesneden. 'Maître,' antwoordde hij, 'ik heb een vrouw en twee kinderen. Ik neem aan dat uw verhaal van zeer groot belang is, want men heeft me laten weten dat ik, als ik het niet mee terugbreng, op staande voet word ontslagen. Dus gaat u rustig die paar laatste regels schrijven. Ik wacht hier wel in de tuin en omdat er aan een fiets altijd wel iets te doen is, hoef ik me niet te vervelen.' En hij zette zijn fiets op zijn kop en begon er een wiel af te halen.

Pagnol zat in de val en moest aan de slag. Hij haalde Sergent-Major, zijn mooiste pen, te voorschijn en begon te schrijven. Op 3 december 1956 verscheen het eerste deel van zijn jeugdherinneringen, die zo beginnen:

Dit gebeurde zo rond 1905, en volgens mijn berekeningen
voor die tijd was de familie drieënzeventig jaar: twee jaar voor
mijn zusje, zes voor mijn broer Paul, negen voor mij,
zesentwintig voor mijn moeder en dertig voor mijn vader,
onze aartsvader.

Pagnols jeugdherinneringen vormen een geschrift van verbluffende eenvoud. Het lijkt alsof Pagnol geen problemen ziet en hij het maar het beste vindt ons de hele geschiedenis gewoon op volgorde te vertellen. In *La Gloire de mon père* begint hij dus bij zijn geboorte en al gauw is hij bij het dorpsschooltje aangeland, waar zijn vader de dorpsjeugd lezen leert, waarop er nog enkele machinaties volgen die ertoe dienen zijn tante Rose, de zus van zijn moeder, aan de man te helpen.

En dan, nadat er in één zin met twee hele jaren is afgerekend en Marcel een jaar of negen is geworden, gebeurt er iets merkwaardigs: de tijd komt tot stilstand en maakt plaats voor eindeloos geluk. Marcels vader huurt samen met zijn zwager een vakantiehuis op het platteland van de Provence en als ze zich

Marcel Pagnol aan het werk.

daarheen begeven, weet Marcel dat hij zijn paradijs heeft gevonden: 'We verlieten het dorp: toen begon het wonder en ik voelde een liefde geboren worden die mijn hele leven zou duren.' Geluk beschrijven is een hachelijke zaak, de tijd stilzetten onmogelijk, maar Pagnol komt ermee weg en we verblijven een paar honderd bladzijden met hem in het paradijs van onze jeugd, waar zoals we ons allen herinneren veel te lachen en te huilen viel.

Lachen en huilen doe ik altijd tijdens mijn favoriete scène, die plaatsvindt nadat Marcel *De laatste der Mohikanen* aan zijn kleine broer Paul heeft voorgelezen. Vanaf dat moment spelen de jongens de hele dag indiaantje en als ze 's avonds thuiskomen en op het terras hun vader treffen die de helft van de krant leest (oom Jules leest de andere helft) zegt Marcel: 'Ugh!' Zijn vader antwoordt: Ugh!' Pagnol schrijft dan:

'Willen de de grote blanke opperhoofden hun rode broeders ontvangen in hun stenen wigwam?'

'Onze rode broeders zijn welkom,' zei mijn vader. 'Hun weg moet lang geweest zijn, want hun voeten zijn bestoft.'

'We komen van de Verloren rivier en we hebben drie manen gelopen!

Alle kinderen van de Grote Manitou zijn broeders: laat de opperhoofden onze pemmikan met ons delen! Wij vragen ze slechts een heilige gewoonte van de Blanken te eerbiedigen: laat ze eerst hun handen wassen.'

Pas aan het einde van *Le Château de ma mère* begint de tijd weer te tikken. Pagnols moeder is dan dood en met het grote blanke opperhoofd zou het nooit meer goed komen.

Het succes was meteen overweldigend. *La Gloire de mon père* en *Le Château de ma mère* verschenen in 1957, *Le Temps des secrets* in 1960. Toen was Pagnol waarschijnlijk een beetje uitgekeken op zijn jeugdherinneringen; het geplande vierde deel *Le Temps des amours* zou hij niet voltooien.

Philippe Soupault: reiziger zonder bagage

Tijdens de Grote Oorlog werd de batterij waar Philippe Soupault (1897-1990) diende als proefkonijn gebruikt voor het testen van een nieuw vaccin tegen tyfus. Soupault belandde in een ziekenhuis op de boulevard Raspail. Hij had koorts, het sneeuwde en een zinnetje in zijn hoofd bleef maar ronddraaien: 'Het maakte het geluid van een insect. Het bleef aandringen. Wat een ellendige vlieg! Het duurde twee dagen. Ik pakte een potlood en ik schreef hem. Er kwam iets te voorschijn dat ik niet herkende. Een reeks onweerstaanbare zinnen vloeide als zweetdruppels uit mijn potlood. Het was een gedicht. Ik wist het zeker.'

Hij noemde het

Vertrek

Het uur
Vaarwel

De menigte tolt
een man wordt kwaad
Vrouwen schreeuwen om me heen
men dringt en dolt
Ik heb het koud
als de avond komt

Met zijn woorden neem ik zijn glimlach mee

Hij stuurde het vers naar Guillaume Apollinaire, die het niet alleen publiceerde, maar Soupault ook aan André Breton voorstelde.

Breton werd er niet graag aan herinnerd, maar de term 'écriture automatique' en het proces dat erbij hoorde, had hij uit *L'Automatisme psychologique* van de psychiater Pierre Janet, dezelfde die, maar dit terzijde, Raymond Roussel tot zijn patiënten mocht rekenen. In het voorjaar van 1919 waagden Breton en Philippe Soupault zich voor het eerst aan het experiment met automatisch schrijven. Het resultaat was *Les Champs magnétiques*, het boek dat aan de basis staat van het surrealisme. Philippe Soupault was na de ervaring van het schrijven van *Les Champs magnétiques* nooit meer dezelfde. In het tweede deel van zijn *Mémoires de l'Oubli*, dat de periode 1914-1923 beslaat, zegt hij: 'Je n'étais plus le même individu, celui qu'on considérait comme un poète cubiste influencé par Apollinaire et Reverdy. Un autre. Totalement.'

Hij begint een tweede experiment. Hij wil de poëzie in handelingen omzetten. Zo gaat hij een bloemenwinkel binnen om worst te kopen of hij houdt een autobus aan en vraagt alle passagiers naar hun geboortedatum. Bij een andere gelegenheid informeerde hij in een bloemenwinkel of ze misschien een plant hadden die zo snel groeide dat hij er binnen een uur in kon klimmen om zo het balkon van een geliefde te bereiken. Ook ruilde hij graag van drankje met andere bezoekers van het café of ging hij een willekeurig gebouw binnen om aan de conciërge te vragen of Philippe Soupault er soms woonde. 'Het had hem niets verbaasd, denk ik, als het antwoord bevestigend was geweest,' schreef Breton. En Georges Hugnet zei: 'Zijn gedichten liepen op straat. Als hij ze tegenkwam, zei hij ze gedag.'

Soupault nam deze acties volstrekt serieus, 'des poèmes vécus' noemde hij ze, maar zijn surrealistische vrienden waren minder onder de indruk; zij vonden vooral dat hij de pias uithing. Ik denk dat zich hier voor het eerst het conflict aankondigde dat in november 1926 tot een uitbarsting kwam. Soupault

Philippe Soupault, getekend door Adolf Hoffmeister.

werd gevraagd naar de rue du Château te komen; daar wachtte hem een tribunaal onder voorzitterschap van Breton, dat hem beschuldigde van het meewerken aan fascistische tijdschriften en het roken van Engelse sigaretten. Hij werd geëxcommuniceerd, uit de surrealistische beweging gestoten.

Een tijd lang weet Soupault niet goed hoe het verder moet. Hij schrijft een paar romans, *Nègre* en *Les dernières nuits de Paris*, maar ze worden nauwelijks gezien. *Le grand homme*, het boek waarin hij zijn oom Louis Renault – die van de auto's – onderuit haalt, veroorzaakt wel een schandaal, maar levert hem nauwelijks geld op. 'Ik interesseerde me niet meer voor wat ik deed,' schreef hij, 'maar ik deed wel alsof.'

Maar hij bleef verzen schrijven, ongrijpbare, eigenzinnige verzen die in Nederland nooit een publiek hebben gevonden, maar die mij zeer aanspreken. Het zijn verzen die verwonderen. Dit is mijn favoriet:

Sportartikelen

Dapper als een postzegel
ging hij zijn weg
en telde hij zijn stappen
met zachtjes in zijn handen klappen
zijn hart rood als een everzwijn
sloeg sloeg
als een groen-roze vlinder
van tijd tot tijd
plantte hij een satijnen vlaggetje
Toen hij veel gelopen had
ging hij zitten om te rusten
en sliep in
Maar sinds die dag zijn er veel wolken aan de hemel
veel vogels in de bomen
en er is veel zout in de zee
Er zijn nog zoveel andere dingen

's Nachts dwaalt Soupault door Parijs op zoek naar hij-weet-niet-wat, meestal in het gezelschap van de dichter Jacques Rigaut, die altijd een paar dobbelstenen bij zich heeft. Iedere keer als er iets moet worden beslist, haalt hij de stenen te voorschijn en laat de cijfers die na de worp verschijnen bepalen wat hij doet.

Rigaut zou binnen niet al te lange tijd zelfmoord plegen. Soupault zat ook op het hellende vlak. Dan krijgt hij van een krant het aanbod een reportage over Amerika te maken. Binnen de kortste keren is de schrijver *grand reporter* en bericht hij in geruchtmakende artikelen over het leven in de Sovjet-Unie en nazi-Duitsland, waar hij een keer met Hitler in de lift staat. Soupault vraagt prompt om een interview. 'De Führer,' zegt een van

Philippe Soupault in 1950.

de lijfwachten, 'praat niet met Franse journalisten.' Soupault zou nooit een coryfee worden. Op zijn begrafenis, op de begraafplaats Montmartre waren zes mensen aanwezig. Hij was altijd gebleven wat hij volgens zijn beroemde gedicht *Westwego* wilde zijn: de reiziger zonder bagage.

Surrealistische dromen

Het surrealisme begon als de Parijse afdeling van het dadaïsme. Pas in 1924 werd het een beweging. Maar André Breton (1896-1966) heeft altijd staande gehouden – en niet zonder reden – dat het surrealisme in wezen begon met de uitvinding of liever de ontdekking van het 'automatische schrijven'. Dat was in het voorjaar van 1919 toen Philippe Soupault en hij *Les Champs magnétiques* schreven.

Het plan voor het schrijven van *Magnetische velden* kwam uit de koker van Breton. Hij wilde zichzelf de opdracht geven 'een monoloog af te steken op de grootst mogelijke snelheid, waar de kritische zin van de spreker geen enkele zeggenschap over heeft. Die monoloog is bijgevolg vrij van alle remmingen en laat zo exact mogelijk in woorden iemands gedachten zien.' En zo begonnen Breton en Soupault in juli 1919 hun monoloog à deux. Acht tot tien uur per dag zaten ze te schrijven, ieder nieuw gedeelte in een andere versnelling, want het was al vlug duidelijk dat de snelheid waarmee ze noteerden een kapitale invloed op de tekst uitoefende. Zo schreven ze 'Jaargetijden' in de eerste versnelling, 'Spiegelglas' in de tweede en 'Tijdelijke verdwijningen' in de derde. Om alles nog spannender te maken onderbraken Breton en Soupault hun monologen regelmatig voor dialogen, waarbij ze om de beurt een regel schreven. Zo werd *Magnetische velden* tot een van de avontuurlijkste teksten ooit geschreven. Een betoverende tekst ook. Dit zijn de eerste regels van 'Spiegelglas', waarmee het boek opent (de vertaling is van Jan Pieter van der Sterre): 'Wij, gevangenen van de waterdruppels, zijn maar eeuwige dieren. We haasten ons door de geruisloze steden en worden niet meer geraakt door de betoverde aanplakbiljetten. Waartoe dienen die grote broze vervoeringen, die verdroogde vreugdesprongen? Alleen de dode sterren kennen we nog; we kijken naar de gezichten; en zuchten van genoegen.'

Wie na zo'n begin niet nieuwsgierig is geworden, moet poëtisch gezien wel van steen zijn.

Breton en Soupault schreven *Magnetische velden* in Café la Source op de boulevard Saint-Michel. De trits 'café' 'la Source' en 'boulevard Saint-Michel' bevat twee elementen die typerend voor het surrealisme zijn, want cafés zullen van groot belang blijven voor de beweging en aan de naam van het café zal altijd groot belang worden gehecht. La Source als de bron van het surrealisme is in dezen een sterk voorbeeld.

Maar de boulevard Saint-Michel was geen goede plek. Een nieuwe stroming moest zijn eigen plek hebben. Die werd door Louis Aragon gevonden in de Passage de l'Opéra bij de boulevard des Italiens. Café Certa zat op nummer 11. In *Le Paysan de Paris* schrijft hij: 'Dit is de plek waar, tegen het einde van 1919, André Breton en ik besloten voortaan met onze vrienden bijeen te komen, uit haat tegen Montparnasse en Montmartre, ook uit smaak voor de dubbelzinnigheid van de passages en zonder twijfel verleid door een ongewoon decor dat ons vertrouwd moest gaan worden; het is de plek waar de grondslagen van dada gelegd zouden worden, waar dat geduchte genootschap haar belachelijke en legendarische manifestaties bekokstoofde die haar grandeur en verrotting bezorgden, waar men elkaar opzocht uit vermoeidheid, ledigheid, verveling, daar waar alle gewelddadige coups bijeenkwamen.' Aragon geeft een uitgebreide beschrijving van het café. Zelfs de prijzen van de drankjes worden vermeld. Zo kostte een cocktail Dada vier franc, en kostten een 'Pick me Hup' en een 'Kiss me Quick' drieënhalve franc.

De sfeer in Certa is mooi beschreven door Man Ray, die op 22

SURRÉALISME

1930

25 cent.

PARIS-MIDI 1930

Une violente bagarre a eu lieu cette nuit dans une «boîte» de Montparnasse

Elle a été provoquée par une manifestation surréaliste

Une violente bagarre a eu lieu cette nuit dans un bar de Montparnasse qui porte le nom du héros des *Chants de Maldoror* du Comte de Lautréamont.

L'origine en remonte assez loin et depuis deux mois qu'existe la nouvelle « boîte » du boulevard Edgard-Quinet, on prévoyait dans les milieux de Montparnasse que les écrivains du groupe surréaliste n'accepteraient pas sans protestations que fut donné à un établissement de nuit, un nom qu'ils vénèrent.

C'est au cours d'une fête donnée cette nuit en cet établissement par la princesse Paléologue, et à laquelle assistaient de nombreux [illegible] et gens du monde qu'eut lieu la manifestation.

A minuit et demi les surréalistes firent irruption, défonçant la porte. Leur groupe comprenait, M. René Char, [illegible] en tête, suivi de MM. André Breton, auteur de *Nadja*, Aragon, auteur de *Libertinage*, le poète Paul Eluard, Marcel No[illegible] et Sadoul.

Effrayés par leurs cris, les invités dont le travesti consistait, pour la plupart, en des pyjamas [illegible] vers les vestiaires et lavabos.

Mais bientôt, dirigée par le peintre Mayo et M. de Londau, perruque blanche et monocle à l'œil, la résistance s'organisa.

Les barmen utilisèrent leurs tabourets et leurs bouteilles, des jeunes femmes manièrent les seaux à glace comme des matraques, pieds et poings entrèrent en jeu.

Après une [illegible] de minutes, les assaillants [illegible] contre les murs se trouvaient [illegible] assaillis.

Tout cela se termina, comme toutes les bagarres [illegible], au commissariat de la rue de la Gaîté.

LA LICENCE des jeunes Américaines

LE SOIR

A MONTPARNASSE

Les surréalistes donnent l'assaut à un bar

Des danseurs « mondains » en pyjamas tentent une résistance

Des gens du monde invités par la princesse Paléologue, qui descend, comme disait un de ses parents, le bon dessinateur Pal, des empereurs de Byzance, dansaient, costumés spirituellement en pyjamas. C'était, comme on le voit, un bal fort distingué, du moins jusqu'à la tenue, exclusivement.

Le bal avait lieu à Montparnasse, dans cette taverne qui s'orne du nom du héros célèbre des chants de Maldoror, de Lautréamont.

Lautréamont, artiste si fin, poète si poète, devenu l'enseigne d'un bistro !

Les surréalistes, blessés jusqu'aux moelles, ne purent accepter cette injure. Aussi bien, menés par M. René Char, qui possède les muscles de Ma[illegible], et par André Breton, Aragon, Paul Eluard et Marcel Noll donnèrent l'assaut à cette boîte.

Boutant dehors les premiers invités, dont les pyjamas « éclairèrent » soudain le trottoir, nos poètes du dernier jus commencèrent à nettoyer les invités de la princesse, qui poussait des cris d'effroi.

Cependant, M. de Londau, monoclé, et les garçons du bar, devant les premières vagues d'assaut, organisèrent une résistance sur des positions solides. On vit des femmes du meilleur monde (lequel ?) se battre comme harengères, prenant traîtreusement les seaux à glace comme assommoirs. Les surréalistes se défendirent comme des lions. Ce fut beau comme un poème de... Lautréamont, et le commissariat de police de la rue de la Gaîté connut, une fois de plus, les explications véhémentes de nos jeunes poètes, celles d'un barman tchécoslovaque et celles encore de comtes, princesses et grands seigneurs russes qui ne s'occupaient plus du général Koutiepoff.

Tout ce joli monde n'a pas été envoyé au Dépôt.

A MONTPARNASSE

L'AMI DU PEUPLE

Les surréalistes prennent d'assaut un bar littéraire

Le gérant d'un bar de Montparnasse, cédant à une mode depuis quelque temps en cours chez les restaurateurs, avait donné à son établissement, récemment inauguré, le nom sonore d'un des héros de Lautréamont.

Grand fut l'émoi de certains milieux surréalistes, qui considérent comme attentatoire à la gloire du « maître » l'évocation, ainsi faite sur l'enseigne d'une boîte de nuit, d'une de ses œuvres.

Les disciples se promirent de manifester à la première occasion.

Il leur sembla que celle-ci leur était offerte dans une fête qui était donnée hier soir dans l'établissement. Vers minuit, une dizaine d'entre eux firent irruption en poussant des cris sauvages. Un moment décontenancés, les occupants se ressaisirent et tentèrent de bouter dehors les intrus. Une bagarre s'engagea, les adversaires se battant à coups de tabourets, de seaux de glace et de bouteilles. Les surréalistes furent bientôt en état d'infériorité.

LES BELLE

COMŒDIA

Bataille pour Maldoror

Le surréalisme, bien mort pour certains, agonisant pour d'autres, entre encore parfois en éruption.

Hier, ainsi que nous le disons d'autre part, un surréaliste manifesta à la Comédie-Française. La veille, au dîner organisé par le « Club des Vampires », dont, heureusement, aucun membre n'était originaire de Dusseldorf, s'était produit un incident à peu près semblable.

L'endroit où avait lieu la fête, *Maldoror*, qu'a décoré fort subtilement Mayo, a emprunté, on le sait, son nom au fameux livre du comte de Lautréamont, *Les Chants de Maldoror*, pour lequel les surréalistes éprouvent une sorte de culte. Le festin de « vampires », présidé par la princesse Paléologue, et auquel assistaient entre autres : Mme Valentine Tessier, Mlle Raymonde Latour, MM. Marcel Achard, [illegible] du Breuil, Christian Bé[illegible], Georges Huguet, Sauguet et, bien entendu, Mayo, le festin se terminait par des danses, lorsque soudain la porte s'ouvrit : M. André Breton apparut et déclara : « Nous sommes invités par le comte de Lautréamont. »

En même temps que lui arrivaient MM. René Char, Paul Eluard, Aragon, Marcel Noll, Thirion, Sadoul, etc., qui se précipitèrent sur les invités. Alors, MM. Landau et Mayo se mirent en généralissimes, et maldorophiles et maldorophobes se ruèrent les uns contre les autres.

Jusqu'au moment où intervinrent les agents du poste de la rue si bien nommée, rue de la Gaîté.

Collage van nieuwsberichten gewijd aan de slag door de surrealisten gevoerd om Café Maldoror.

juli 1921 vanuit New York in Parijs aankwam. Hij werd door Marcel Duchamp van het gare Saint-Lazare gehaald. Een paar uur later zat hij in Certa, waar hij kennismaakte met Breton, Aragon, Soupault, Éluard en Gala. Na Certa gingen ze naar de kermis op de boulevard de Rochechouart, 'waar Breton en zijn vrienden als kleine kinderen van de ene attractie naar de andere renden'. Onderweg naar de kermis had Ray mogen meemaken hoe Soupault in lantaarnpalen klom.

Begin 1922 verlieten de surrealisten de Certa. Op 1 januari verhuisde Breton naar rue Fontaine 42. Zijn appartement lag boven cabaret Le Ciel et L'Enfer en het keek aan de ene kant uit op een binnenplaats en aan de andere op de drukke place Blanche. Rue Fontaine, een bron, de place Blanche, wit als cocaïne, ver van het verfoeide Montparnasse, aan de voet van, maar niet in Montmartre, het kon niet beter. Vanaf 1922 bevond zich hier het hoofdkwartier van het surrealisme. Hier begonnen de surrealisten hun onderzoeken naar elkaars seksbeleving, die later bekend zouden worden als *Recherches sur la sexualité.* 'Dit onderzoek,' schrijf José Pierre in zijn inleiding bij *Seksuele obsesies* (de vertaling is van het collectief René Sanders, Willem Desmense en Rhodé Bouter), 'werd gedaan in de vorm van discussies, die zich spontaan ontwikkelden.' Spontaan is hier het sleutelwoord, zoals het ook van belang is te onderkennen dat deze recherches geen enkel commercieel doel dienden: 'Tegenwoordig zou onderzoek naar seksualiteit vallen onder de dubieuze praktijken, waar een hoofdredacteur van een krant of tijdschrift zich van bedient om te proberen zijn lezers terug te winnen zonder er zelf echt in te geloven. Zestig jaar geleden was dit niet het geval. Het onderwerp werd toen als onbehoorlijk beschouwd, zo simpel was dat. En het zou een vergissing zijn te denken dat de surrealisten weer een "scandale pour le scandale" wilden uitlokken.'

De verslagen van de eerste twee bijeenkomsten werden op de laatste pagina's van *La Révolution surréaliste* gepubliceerd, in piepkleine letters. De surrealisten, die aan alles wat met seks te maken had een groot belang toekenden, werden gedreven door nieuwsgierigheid en waren daarom bereid niet alleen nauwkeurig in de spiegel te kijken, maar ook om wat ze zagen aan hun vrienden mede te delen. Deze verregaande openhartigheid geeft regelmatig aanleiding tot hilarische taferelen. Zo is er op de zevende sessie, die plaatsvond op 6 mei 1928, een zekere Jean Baldensperger aanwezig die bestialiteit ter discussie stelt en vervolgens vertelt dat hij gedurende een jaar een intieme relatie heeft gehad met 'een vrouwelijke ezel, die nog steeds leeft'. 'Hoe oud was ze?' wil Jacques Prévert prompt weten. 'Twee jaar,' antwoordt Baldensperger. 'En jij?' zegt Prévert. 'Veertien.' Waarop André Breton, die tijdens de bijeenkomsten als een soort gespreksleider optreedt, het woord neemt en Baldensperger vraagt de relatie zo precies mogelijk te beschrijven. Baldensperger: 'Ik deed het door een hemd. Gewoonlijk spande ik haar in, leidde haar naar het woud. Dan ontdeed ik haar van een gedeelte van het tuig met een overduidelijk gevoel alsof ik iemand aan het uitkleden was, en gaf me over aan mijn kleine hartstochten. Daarna spande ik haar opnieuw in en ging huiswaarts.' Een mooi verhaal, maar het krijgt zijn ware proportie als niet veel later het onderwerp hygiëne ter tafel komt en het Baldensperger is die verklaart: 'Ik zou niet de liefde kunnen bedrijven met een vrouw die aangekoekte stront tussen haar billen heeft.' 'Ik zie geen enkel verschil tussen de aangekoekte stront van de vrouw van wie je houdt en haar ogen,' is de riposte van Breton.

Een groot aantal surrealisten was op een of meer sessies aanwezig: Éluard, Aragon, Péret, Artaud, Max Ernst, en het is heel opvallend dat veel van het verbale vuurwerk afkomstig is van de surrealisten die zich toen al min of meer van de beweging aan het losmaken waren: Queneau, Prévert, Duhamel, Tanguy. Tijdens de zevende sessie zegt Prévert: 'Als ik een vrouw op sloffen zie, wil ik met haar naar bed.' Duhamel valt hem bij: 'Ja, ik vind sloffen en nachtjaponnen opwindend.' Meteen is daar Breton: 'Ik maak bezwaar. Duhamels antwoord lijkt door dat van Prévert te zijn beïnvloed. Het is onmogelijk dat twee mannen dezelfde smaak hebben voor zoiets specifieks als sloffen.' Het zal duidelijk zijn dat er tijdens deze woordenwisselingen meer op het spel staat dan alleen die sloffen, zoals er regelmatig doelbewust geprovoceerd lijkt te worden:

Raymond Queneau: Wat vindt u van verkrachting?
Benjamin Péret: Absoluut tegen.
Yves Tanguy: Prima.
André Breton: Sta er absoluut vijandig tegenover.
Raymond Queneau: Het is het enige dat ik aantrekkelijk vind.
Marcel Duhamel: Ik voel me er niet toe aangetrokken.
Jacques Prévert: Ik vind het legitiem.
Pierre Unik: Ik ben ertegen.

Op een andere plaats verklaart Prévert dat als er een kind in zijn leven zou komen, hij het ogenblikkelijk zou vermoorden, en hij zorgt ook voor verreweg de mooiste uitspraak: 'De nacht is om te slapen, de dag om de liefde te bedrijven.'

Uiteraard werd er omgekeken naar een café in de buurt. Het werd café Cyrano op de boulevard de Clichy 82, meteen naast de Moulin-Rouge. Van 1922 tot 1929 kwamen de surrealisten hier dagelijks bij elkaar. Ze zaten het liefst in de glazen terrasbak om zo de boulevard in de gaten te kunnen houden, want ieder moment kon immers de 'amour fou' voorbijkomen of iets wonderbaarlijks gebeuren. Ze zaten er met z'n tienen, met z'n vijftienen of zelfs met z'n twintigen. In haar *Confidences* noteerde Youki Desnos, die eerst de geliefde was van de modieuze Japanse schilder Foujita en later met Robert Desnos trouwde, dat de aanwezige vrouwen geen mond opendeden. De drankjes werden uitgekozen op hun kleur. Volgens de autobiografie *Raconte pas ta vie* van uitgever Marcel Duhamel, dronk Breton Mandarin Curaçao. Ook populair waren Picon en Claquesin. Op een middag ging er een priester aan een voor de surrealisten gereserveerd tafeltje zitten. De militant anti-clericale surrealistische dichter Benjamin Péret gaf hem een klap, waarop Breton woedend op Péret werd. Een andere keer werd de hele groep woedend op Breton omdat hij het waagde de in de ogen van de surrealisten uiterst verwerpelijke dichter en journalist Léon-Paul Fargue de hand te schudden.

Het café was ook de plek waar de surrealisten hun spelletjes speelden, waarvan het door Jacques Prévert bedachte 'cadavre exquis' het bekendste is. Iedereen weet hoe het gaat. Je schrijft een woord op, vouwt het papier om en geeft het door aan iemand anders, die een tweede woord noteert, die omvouwt en zo verder. Als alles goed gaat ontstaan er op deze wijze de prachtigste teksten. Het beroemdste voorbeeld, dat het spel ook zijn naam heeft gegeven, gaat zo: 'Le cadavre-exquis-boira-le-vin-nouveau.'

Andere bekende cadavres exquis zijn:

De diep-egoïstische guillotine en diurne zal de fles koninklijk maar correct huilen.

De rue Mouffetard, die huivert van liefde, vermaakt de herschenschim die vuur op ons maakt.

De oester van Senegal zal het driekleurige brood eten.

De cadavres exquis werden anoniem gepubliceerd en zonder erbij te vertellen dat er spelregels aan ten grondslag lagen.

Veel van de spelletjes die de surrealisten speelden waren afgeleid van het cadavre exquis. 'De dialoog' bijvoorbeeld die uit 1929 stamt en door Breton wordt geopend met:

'Als de Marseillaise niet bestond',

waarop Aragon vervolgt met:

'dan zouden de weiden hun benen over elkaar slaan.'

Ook een mooie komt van een zekere J.T. en Suzanne Muzard:

J.T.: Als er geen guillotine was
S.M.: Dan trokken de wespen hun corset uit.

Toeval? Of proef je hier dat het spel regelmatig werd gespeeld en de spelers dus goed wisten hoe je dit soort varkentjes moest wassen. Dit zijn Breton en Péret:

A.B.: Als je een scheepsanker als geslacht had
B.P.: Dan zouden de camemberts de hazen en de snippen verjagen.

Het is gebruikelijk om aan de door de surrealisten gespeelde spelletjes, onder verwijzing naar Freud en Marx, allerlei diepere achtergronden toe te kennen, maar dit is wat André Breton er in 1954 zelf over zei: 'Hoewel we onze spelletjes bij wijze van verdediging vaak omschreven als experimenten, zochten we toch in de eerste plaats vermaak.'

Dit is uit een dialoog tussen Breton en Alberto Giacometti:

A.B.: Wat is het violet?
A.G.: Een dubbele vlieg.
A.B.: Wat is kunst?
A.G.: Een schelp in een waterschaal.
A.B.: Wat is het hoofd?
A.G.: De geboorte van de borsten.
A.B.: Wat is jouw atelier?
A.G.: Twee voetjes die lopen.

Dat was in juni 1934.

Het is vrijwel onvoorstelbaar dat in deze sfeer van bevrijding door dezelfde surrealisten nog maar enkele maanden eerder bij Breton thuis een proces tegen Dalí was gevoerd, waarbij Breton als openbaar aanklager fungeerde en Dalí uit de beweging werd

Dada 3, Parijs. Breton, Hilsum, Aragon en Éluard met snorren en baarden.

gezet. Met zijn commentaar toen sloeg Dalí de spijker op de kop: 'Het enige verschil tussen mij en de surrealisten is dat ik surrealist ben.'

André Breton woonde nog in het Hôtel des Grands Hommes tegenover het Panthéon toen er op een avond bij hem werd aangeklopt. 'Er kwam een vrouw binnen,' schrijft hij in *Nadja*, 'van wie leeftijd en uiterlijk me zijn ontschoten. Ze was in de rouw, geloof ik. Ze is op zoek naar een nummer van *Littérature*, dat iemand haar gevraagd heeft de volgende dag mee te brengen naar Nantes. Dat nummer is nog niet verschenen maar het kost me moeite haar daarvan te overtuigen. Al gauw blijkt dat het doel van haar bezoek is mij de persoon die haar stuurt en die binnenkort naar Parijs komt om zich daar te vestigen, "aan te bevelen". (Ik herinner me de uitdrukking "die zich in de literatuur wil lanceren'', die ik later, toen ik wist om wie het ging, zo vreemd, zo aandoenlijk vond.) Maar wie werd mij op zo'n schimmige manier gevraagd te ontvangen, raad te geven? Een paar dagen later was Benjamin Péret er.' Volgens Pérets vriend Robert Desnos waren Péret en zijn moeder met de nachttrein uit Nantes gekomen en had mevrouw Péret haar zoon om zes uur 's morgens bij Breton achtergelaten met de woorden: 'Meneer, ik ken u van naam en ze hebben me verteld dat u iets voor mijn zoon kunt doen. Hij wil schrijver worden.' De eerste ontmoeting liep op niets uit, maar toch wist Péret aansluiting bij de surrealisten te krijgen. Hij werd niet serieus genomen en als provinciaal was hij het doelwit van veel grappen, maar hij zat wel met Breton en zijn vrienden in café Certa. Péret zou Robert Desnos' 'Ode à Coco' – Coco was een papegaai – aan Breton geven, maar omdat Péret bang was dat Breton het gedicht niet zou waarderen, zag hij ervan af. Een andere keer zou Péret Desnos meenemen naar de Certa, maar hij laat hem staan en dus gaat de eenentwintigjarige Desnos er op eigen houtje op af. Als hij het café betreedt zitten daar Louis Aragon, Tristan Tzara, Jacques Rigaut, Ribemont-Dessaignes, Blaise Cendrars en Raymond Radiguet, geen gering gezelschap, maar het is Bretons aanwezigheid die Desnos zo intimideert dat het enige dat hij de hele avond kan uitbrengen 'évidemment' is. Terug uit de militaire dienst die hij vervult in Marokko lukt het hem alsnog om aansluiting te vinden bij de groep.

René Crevel werd net als Desnos in 1900 en in Parijs geboren. Op de middelbare school zat hij in de klas met Michel Leiris, die zich hem zo zal herinneren: 'Crevel leek onverschillig voor alles wat er werd gezegd of gedaan in de klas, zowel van de kant van de leraren als van de leerlingen. Het beeld dat ik van hem heb als adolescent is dat van een slaapwandelaar.'

In 1921 moest Crevel in militaire dienst. Hij was gelegerd in La Tour-Maubourg, samen met Max Morise, Georges Limbour, Roger Vitrac en François Baron, de oudere broer van Jacques Baron. Vijf dadaïstische dichters in een kazerne, het moet een wonderlijk schouwspel zijn geweest. De meesten van hen waren aanwezig bij het fameuze, door Breton georganiseerde uitstapje naar Saint-Julien-le-Pauvre. Het was de bedoeling dat deze dada-excursie 'naar plaatsen die geen echte reden van bestaan hebben' de eerste in een serie zou worden. Op het programma stonden nog bezoekjes aan het Louvre, het Canal de l'Ourcq, het gare Saint-Lazare en het parc des Buttes Chaumont. Op 14 april 1921 om drie uur verzamelden de dadaïsten, onder wie Tzara, Soupault, Rigaut, Arp en Ribemont-Dessaignes zich bij het kerkje. Er waren zo'n vijftig belangstellenden, voor een deel journalisten en fotografen. Breton vroeg: 'Wat willen jullie van ons? Denken jullie echt dat we talent hebben, dat we bestemd zijn voor een ander soort succes dan het succes van het schandaal dat jullie ons hebben bezorgd?' Tzara schreeuwde losse woorden en Ribemont-Dessaignes speelde de gids en las op diverse plekken rondom de kerk willekeurige stukken uit het woordenboek voor. Na een halfuur was al het publiek verdwenen. Besloten werd dat de manifestatie op een mislukking was uitgelopen en de andere excursies werden van het programma geschrapt. Maar zoals dat gaat, in de loop van de jaren zou de uitstap uitgroeien tot een van de legendes van dada. Wie erbij was geweest had geluk gehad.

In de zomer van 1921 richtten Crevel en zijn militaire vrienden het tijdschrift *Aventure* op. Het eerste nummer bevatte bijdragen van Breton, Aragon en Tzara. De redacteuren van *Aventure* hoorden tot de vaste gasten in de Certa. Met Morise, Limbour en Vitrac had Breton niet veel op (Jacques Baron was pas zestien en mocht niet mee naar het café), maar Crevel viel bij hem zeer in de smaak. Dit tot grote vreugde van Crevel, die in Breton een substituut zou hebben gezien voor zijn vader, die in 1914 zelfmoord had gepleegd. Een eenentwintigjarige die in een vijfentwintigjarige een vaderfiguur ziet, ik heb het altijd een merkwaardig verhaal gevonden. Volgens mij is het veel aannemelijker dat de beeldschone en homoseksuele Crevel iets heel anders zag in Breton. Dat Breton, die altijd veel werk maakte van zijn afkeer van homo's, zich deze adoratie liet aanleunen, is misschien ook niet geheel betekenisloos. Hoe het ook zij, er was Crevel veel aan gelegen Breton te behagen. En hetzelfde gold voor Desnos.

Een jaar later, in de zomer van 1922, bracht René Crevel enkele dagen verlof door aan de kust van Normandië. Op de laatste dag van zijn verblijf was er een meisje naar hem toe komen rennen. Ze drukte geraniums tegen haar borst die ze in een plantsoen geplukt had. Ze wierp zich in zijn armen en vroeg hem haar stevig vast te houden. 'Gelukkig,' zei Crevel, 'was mijn bovenlijf bloot, want toen de geraniums werden verdrukt, bloedden ze.' Het meisje lachte en huilde. Haar moeder kwam erbij en vertelde dat ze heel ziek was geweest, maar dat ze was genezen door een medium, madame Dante.

Dezelfde avond nog begaf Crevel zich samen met het meisje en haar moeder naar de waarzegster. Zodra ze om de tafel zaten, viel Crevel in een hypnotische slaap. Weer wakker vertelde madame Dante hem dat hij in zijn slaap poëtische teksten had uitgesproken. Crevel was geïntrigeerd en toen hij in september in Parijs Breton tegen het lijf liep, vertelde hij hem over de gebeurtenissen aan de seancetafel van madame Dante. Breton stelde voor de seance bij hem thuis te herhalen. Op 25 september om negen uur 's avonds kwamen Crevel en Max Morise in de rue Fontaine aan, waar ze werden ontvangen door Breton en zijn vrouw Simone. Robert Desnos en Kiki de Montparnasse waren er al. Crevel legde uit wat er moest gebeuren. De lichten gingen uit en in stilte hielden ze aan tafel elkaars handen vast. Al na een paar minuten viel Crevel in slaap en begon hij te zuchten en te steunen. Volgens Desnos markeerde het vertrek van de angstige Kiki het ogenblik dat Crevel aan zijn monoloog begon: 'Er gaat iemand weg en die iemand gaat weg omdat hij zichzelf iets te verwijten heeft.' Vervolgens begint hij een poëtische tekst over een man die door zijn vrouw is vermoord. Op eigen verzoek is hij door zijn vrouw verdronken. Crevel lijkt namens de verdronkene te spreken. 'Het water, het water,' roept hij, 'de kikkers! Krankzinnige vrouw!' Volgens Simone Breton was het gruwelijk, en alleen te vergelijken met de verschrikkelijkste passages uit *De Zangen van Maldoror*. Desnos noteerde nog een uitspraak van Crevel: 'Je mag meisjes uit de provincie die naar Parijs komen niet meenemen naar het Dubbelzinnighedentheater want de post uit Lyon... ze hebben er wel paarden op het toneel begaan ze misdaden en de politie moet zijn ogen sluiten.'

Enige tijd later beginnen ze zonder Crevel opnieuw. Na een kwartier legt Desnos zijn hoofd in zijn armen en begint op de tafel te krabben. Als hij wakker wordt, kan Desnos zich niets herinneren. Volgens Crevel had hij willen schrijven en er wordt afgesproken dat hij de volgende keer een potlood in zijn hand krijgt. Op woensdag 27 september vindt de tweede sessie plaats. Desnos schrijft de woorden '14 juli-14 juil' die hij omringt met plustekens of kruisjes. Dan beginnen de anderen hem te ondervragen:

Wat zie je?
– De dood.
(Hij tekent een opgehangen vrouw langs een weg)
Schrijft: bij de varen gaan er twee vandoor
(de rest van wat hij schrijft gaat verloren op de tafel)

Dan legt Breton zijn hand op de linkerhand van Desnos.

V.– Desnos, hier Breton. Vertel hem wat je ziet.
A.– De evenaar. (Hij tekent een cirkel en een horizontale diameter.)
V.– Is het een reis die Breton moet maken?
A.– Ja.
V.– Een zakenreis?
A.– (met zijn hand gebaart hij van niet. Schrijft: Nazimova)
V.– Vergezelt zijn vrouw hem op die reis?
A.– ??????
V.– Zal hij Nazimova terugvinden?

A.– Nee
V.– Zal hij samen met Nazimova zijn?
A.– ?
V.– Wat weet je nog meer van Breton? Spreek.
A.– Het schip en de sneeuw – je hebt ook die mooie telegraaftoren – op de mooie toren is een jonge (onleesbaar).

Ik trek mijn hand terug. Éluard legt zijn hand op de plek.
V.– Het is Éluard.
A.– Ja (tekening.)
V.– Wat weet je van hem?
A.– Chirico.
V.– Zal hij binnenkort Chirico ontmoeten?
A.– Het wonder met de zachte ogen als een jonge baby.
V.– Wat zie je van Éluard?
A.– Hij is blauw?
V.– Waarom is hij blauw?
A.– Omdat de hemel nestelt in (een niet afgemaakt woord, de hele zin is driftig doorgehaald).

De hand van Péret vervangt die van Éluard.
V.– Wat weet je van Péret?
A.– Hij zal sterven in een wagon vol mensen.
V.– Wordt hij vermoord?
A.– Ja.
V.– Door wie?
A.– (Hij tekent een trein, een man die naar buiten valt.) Door een beest.
V.– Welk beest?
A.– Een blauw lintje mijn lieve landloopster.
Een lange stilte, dan: Praat niet meer over haar, ze wordt over enkele minuten geboren.

De hand van Ernst vervangt die van Péret.
V.– Ernst geeft je een hand. Ken je hem?

A.– Wie?
V.– Max Ernst.
A.– Ja.
V.– Zal hij lang leven?
A.– Eenenvijftig jaar.
V.– Wat gaat hij doen?
A.– Met de gekken spelen.
V.– Zal hij met de gekken gelukkig zijn?
A.– Vraag dat aan de blauwe vrouw.
V.– Wie is de blauwe vrouw?
A.– DE.
V.– Wat? De?
A.– Toren.
Desnos wordt wakker gemaakt. Voor hij wakker schrikt maakt hij wilde gebaren.'

De volgende avond wordt er weer een bijeenkomst belegd. Desnos maakt tekeningen en zegt de uitzonderlijkste dingen. Als hem om een vers wordt gevraagd, schrijft hij een sonnet. De slaapepidemie, zoals Louis Aragon het eind 1922 zal noemen, is begonnen. Avond aan avond komt de groep bij elkaar. 'We leven tegelijkertijd in het heden, het verleden en de toekomst,' schrijft Simone Breton aan haar zuster. 'Na iedere séance zijn we zo verbijsterd en kapot, dat we elkaar beloven niet opnieuw te beginnen, maar de volgende dag willen we alleen nog maar terugkeren naar die rampzalige sfeer, waarin we elkaar met dezelfde angst de hand geven.'

Robert Desnos is de grote ster van de seances en dat wordt hem door Crevel niet in dank afgenomen. Hij laat Desnos 'per ongeluk' struikelen, waarbij Desnos met zijn hoofd tegen de schoorsteenmantel slaat. Desnos laat zich ook niet onbetuigd en beschuldigt Crevel ervan dat hij vals speelt. Tzara, Ribemont-Dessaignes en Soupault zien niets in de slaapsessies. Jacques Baron vindt ze 'niet helemaal een grap, maar ook niet iets wat je te serieus moet nemen'. Georges Limbour, die tijdens een sessie begint te blaffen en hondenvoer eet, zegt later tegen André Masson dat het allemaal flauwekul was, dat hij het alleen maar had gedaan omdat hij Bretons reactie wilde zien. Breton was betoverd. Éluard merkt op dat de sessies veel minder interessant zijn als Breton afwezig is, en op 23 februari 1923 schrijft Desnos aan Jean Carrive: 'Ik heb je al gezegd dat ik niet bang was voor mystificaties. De mystificateur kan zonder het zelf te weten ernstige dingen maken. Het maakt mij niet uit dat de vuurwerkmaker niet in de explosieve waarde gelooft van het dynamiet dat ik gebruik.' Man Ray schreef: 'Er waren mensen die zeiden dat Desnos simuleerde. Hoezo? De seances waren even wonderbaarlijk geweest als ze voorbereid en uit het hoofd waren geleerd.' Het laatste woord is aan Aragon en komt uit zijn *Une Vague de rêve* uit 1924: 'De gedachte dat het allemaal gespeeld is, duikt op. Ik heb zelf over die gedachte nooit een helder idee gehad. Iets voorwenden, is dat iets anders dan iets denken? Daar kom ik niet uit. En leg me maar eens uit hoe dat voorwenden het geniale van de gesproken dromen die zich voor me ontrollen, verklaart.'

De slaapepidemie begint inmiddels uit de hand te lopen. Desnos zegt telepathisch contact te hebben met Marcel Duchamp in New York en geeft allerlei woordspelerige uitspraken door van diens vrouwelijke alter ego Rrose Sélavy, die met illustraties van Picabia door Breton worden gepubliceerd in het decembernummer van *Littérature*. 'Het was volgens mij de belangrijkste poëtische ontwikkeling sinds tijden,' schrijft Breton opgewonden in zijn inleiding *Les Mots sans rides*. Marcel Duchamp reageert met de opmerking: 'Waarom vraagt hij Rrose niet ten huwelijk? Zou ze geweldig vinden.'

De teksten luiden een vloedgolf van woordspelingen in. Tegelijkertijd gaan de slaapsessies door. Tijdens een bijeenkomst bij Marie de la Hire vallen tien deelnemers in slaap. Ze gebaren en profeteren en plotseling zijn er zeven zoek. Breton, die zelf nooit in slaap valt, vindt ze in een kamer waar ze op zoek zijn naar touw om zich aan een kapstok te verhangen.

Desnos hoeft zijn ogen maar te sluiten of hij is in trance, maakt niet uit waar. En vaak wil hij ook niet meer wakker worden. 'Mij wakker maken,' zegt hij tegen Simone Breton. 'Met welk recht? Wat weet jij van poëzie?' Crevel spreekt een vervloeking uit over de groep, en stapt vervolgens woedend op. Als een slaapwandelende Desnos in februari 1923 de andere aanwezigen urenlang in een kamer opsluit, vindt Breton het welletjes. Het is afgelopen met de slaapsessies, maar alle deelnemers, ook zij die er niet in geloofden, zijn het altijd een onvergetelijk poëtisch avontuur blijven vinden.

Gala en Paul Éluard

Op 12 januari 1913 stapt de dan achttienjarige Elena Dimitrievna Diakonova uit de trein op het station van Davos-Platz. Ze komt uit Moskou en is op weg naar Clavadel, een kuuroord, waar ze van haar tuberculose hoopt te genezen. Het is meteen duidelijk dat we met een bijzonder meisje van doen hebben, want achttienjarige jongedames die anno 1913 in hun eentje van Moskou naar Zwitserland sporen, dat is niet niets, maar het wordt allemaal nog veel bijzonderder als we weten dat zich in het kuuroord waarheen zij op weg is, op dat moment al de zeventienjarige Eugène Grindel bevindt.

Toeval? Of was hij de lamp waardoor de nachtvlinder onweerstaanbaar aangetrokken wordt en wist Gala, want over haar hebben we het, precies waar en wanneer ze moest zijn om hem te treffen? Grindel schrijft verzen en Gala, die besloten heeft met hem in contact te komen, maakt een schetsje van hem en schrijft daaronder: 'Portret van een jonge dichter van zeventien jaar', en om het allemaal nog interessanter te maken voegt ze nog één woord toe: 'Triangulisme!', een verwijzing naar de vorm van het portretje, dat wel iets wegheeft van een driehoek. Achter de ruggen van het verplegend personeel om laat ze het briefje bezorgen en de jonge dichter, die wij kennen als Paul Éluard (1895-1952), vervolgt de correspondentie met de woorden: 'Welke jongeman. Zeg het me, vlug!' Als het briefje hem voor de tweede keer bereikt, is zijn lot bepaald: 'De avond van

Salvador Dalí, Gala, Paul en Nusch Éluard in 1931.

vandaag eet u met mij,' schrijft Gala en hij antwoordt: 'Ik ben uw dienaar.' Vanaf het allereerste begin is het een gepassioneerde en stralende liefde, die geen twijfels kent. Gala heeft de liefde van haar leven gevonden en hij is een groot dichter. 'Ik beloof je,' schrijft ze hem in 1916, 'ons leven zal glorieus en schitterend zijn.'

Éluard debuteerde in 1914 met een bundeltje prozagedichten, *Dialogues des inutiles*, met een voorwoord van Gala, die ondertekent met 'Reine de Paleuglin'. 'Op de pagina's die volgen kan alles worden gevonden. En bij het vertrek alles worden gezocht.' Dat is mooi gezegd. Het merkwaardige is, dat het vrijwel het enige is dat zij ooit zal zeggen. Gala is alom aanwezig, maar zwijgt. Het enige moment dat de deur op een kier gaat, is in de vijftien brieven uit december 1916 die bewaard zijn gebleven. Al haar andere brieven aan hem heeft Éluard in 1946 vernietigd, 'pour que nous évitions de laisser après nous des traces de notre vie intime'.

Hierna zien we Gala alleen nog door de ogen van anderen en het is opvallend dat alleen de mannen die van haar houden, haar waarderen: Éluard, Max Ernst, Dalí. Aragon, Breton, Tzara, Buñuel, ze haten haar, al wordt nooit helemaal duidelijk waarom. Volgens Gala omdat ze op haar vallen en zij geen belangstelling voor hen heeft. Als je de memoires van Buñuel leest, bekruipt je het gevoel dat ze misschien niet helemaal ongelijk heeft.

In 1919 maakte Éluard kennis met André Breton en binnen de kortste keren raakt hij betrokken bij het dadaïsme om vervolgens de vierde van De Drie Musketiers, (André Breton, Philippe Soupault en Louis Aragon) van het surrealisme te worden. Éluard levert zich met huid en haar uit aan de beweging, maar merkwaardig genoeg is de invloed die het surrealisme op zijn poëzie heeft betrekkelijk gering. De werkelijke motor van zijn poëzie is de liefde oftewel Gala.

In zijn *Panorama de la nouvelle littérature française* uit 1949 wordt Éluard door Gaetan Picon 'le poète de l'amour' genoemd en die karakteristiek is blijven hangen. Niet ten onrechte, want er zullen maar weinig twintigste-eeuwse dichters zoveel en zo mooi over de liefde hebben geschreven. En altijd is het Gala die in de verzen centraal staat:

Verliefden

Ze dragen de schouders hoog
En hebben iets ondeugends
Of gezichten die verwarring zaaien
Het zelfvertrouwen boezemhoog
Waar de ochtend van hun borsten gloort
Om de nacht te ontkleden

Ogen om stenen mee te kloppen
Glimlach zonder na te denken
Voor elke droom
Stormen van sneeuwgeknars

Meren van naaktheid
En ontwortelde schaduwen

Geloof ze op hun kus
En op hun woord en blik
En kus slechts hun kussen

Ik toon slechts je gezicht
Het grote onweer van je keel
Al wat ik ken en al wat ik niet weet
Mijn lief je lief je lief je lief

Maar ook als het om de liefde gaat, is Gala een mysterie. De beroemde driehoeksverhouding Éluard-Gala-Ernst heeft overduidelijk homoseksuele componenten. Éluard is verliefd op Ernst en schuift uit angst om aan zijn homoseksuele kant toe te geven Gala ertussen (voor zover we weten heeft hij zijn droom om samen met een andere man de liefde met Gala te bedrijven ook nooit gerealiseerd), maar wat Gala van een en ander vindt, kunnen we zelfs niet raden.

Als de liefde voor Ernst voorbij is, heeft Éluard relaties met andere vrouwen, maar van Gala blijft hij houden: 'Gala, Gala, Gala, Gala... Ik heb maar één verlangen, je zien, je aanraken, je kussen, met je praten, je bewonderen, je strelen, je aanbidden, je bekijken, ik hou van je, ik hou alleen van jou, de mooiste en in alle andere vrouwen vind ik alleen jou: de hele Vrouw, mijn hele zo grote zo eenvoudige liefde.'

En dan, in 1931, verschijnt Salvador Dalí op het toneel. En zoals Gala zich in 1913 met overgave aan een haar onbekende dichter wijdde, maakt ze nu het leven van de dan nog vrij onbekende schilder tot het hare. Aan een van de grote liefdes van de eeuw is een einde gekomen. Gala's jacht op het geld is begonnen.

Éluard schreef zijn grote liefdespoëzie tussen 1920 en 1937, tussen zijn vijfentwintigste en tweeënveertigste. Zes jaar nadat

Gala en hij uit elkaar zijn gegaan, beginnen haar krachten uit hem weg te ebben. Hij heeft een verhouding met het uit Duitsland afkomstige fotomodel Nusch Benz, die zijn aandacht trekt omdat ze op straat een radslag maakt, maar Nusch is geen Gala. Hij begint een lang liefdesgedicht voor haar, maar uiteindelijk zal hij haar naam in het vers vervangen door het woord 'liberté'. Gala zou dat, denk ik, niet gepikt hebben. Tegen het einde van de Duitse bezetting wordt 'Liberté' door geallieerde bommenwerpers met duizenden tegelijk boven Frankrijk gedropt. Het gedicht maakt Éluard beroemd, maar beter wordt het vers er niet van.

Éluard eindigt zijn dagen als een *fellow traveller* die zich laat toejuichen op massameetings en congressen in de arbeidersparadijzen van het Oostblok. In dezelfde periode heeft Gala het vooral druk met geld tellen. Geen van beiden bieden ze een vrolijke aanblik, maar laten we ze niet op deze droevige periode in hun leven beoordelen. Laten we naar hun grote gepassioneerde liefde kijken en laten we vooral genieten van de wonderschone verzen die eruit zijn voortgekomen.

Een villa in Hyères

Op 25 juli 1923 namen Charles en Marie-Laure de Noailles het besluit in de bergen boven Hyères een villa te bouwen. Vicomte Charles de Noailles, de tweede zoon van de prinses de Poix en Marie-Laure Bischoffsheim, kleindochter van Madame de Chevigné en nazaat van de markies de Sade, waren in januari 1923 getrouwd. Marie-Laure was toen eenentwintig en al sinds haar elfde verliefd op Jean Cocteau. Alles in het nette uiteraard, maar later zou ze zichzelf wel als 'Cocteaus Lolita' omschrijven. Hij zou altijd haar grote liefde blijven. Op zijn homoseksuele relaties kon ze niet jaloers zijn, maar toen hij in de jaren dertig verliefd werd op een vrouw was Marie-Laure zo furieus dat het tot een handgemeen kwam.

Het stuk grond waar de villa moest komen, was een huwelijksgeschenk. Het echtpaar wilde niet zomaar een huis, het moest 'interessant à habiter' zijn en daarom werd als architect eerst Mies Van der Rohe benaderd. Toen Van der Rohe was afgevallen, omdat hij geen tijd en de Noailles wel haast hadden, kwam Le Corbusier in beeld. Maar Le Corbusier had totaal geen belangstelling voor de ideeën van zijn aspirant- opdrachtgevers. Ze kwamen bij Robert Mallet-Stevens terecht, een architect die, als een Rem Koolhaas avant la lettre, tot dat moment vooral bekend was door maquettes en een boek, *La Cité moderne*. Alles moest anders in hun toekomstige huis, hadden Marie-Laure en Charles de Noailles met elkaar afgesproken. Zo hadden ze, tot ontzetting van hun deftige vrienden in Parijs, besloten dat het van beton moest worden. En in dit 'conglomeraat van betonnen blokken', zoals Man Ray de villa omschreef, kwamen twintig badkamers, een openluchtslaapkamer en een overdekt zwembad, een nieuwtje voor die tijd. Naast het huis lag, als een schilderij van Mondriaan, de door Guevrekian ontworpen kubistische tuin met zijn veelkleurige vierkanten en rechthoeken. Op 15 augustus 1924 werd de villa opgeleverd en vanaf dat moment was het er altijd druk met kunstenaars en hun vrienden en vriendinnen. In Hyères gingen al snel geruchten over seks en drugs en drank, en zo kwam de villa Noailles aan zijn bijnaam 'la maison des fadas parisiens', 'het huis van de Parijse malloten'.

Charles en Marie-Laure de Noailles waren nauw betrokken bij de avant-garde. Zo maakten Lipchitz en Brancusi beelden voor de villa en kleurde Doesburg het houten huisje waarin de bloemen uit de tuin tot boeketten werden geschikt. Ze verzamelden schilderijen, onder meer van Mondriaan (van de twee Mondriaans die voor de oorlog in Frankrijk zijn verkocht, bezaten zij er een) en Dalí, ze kochten manuscripten van de surrealisten, maar hun grote liefde was de film. In 1928 gaven ze Man Ray de opdracht een film te maken. Het werd het geheimzinnige, vrijwel geheel in de villa opgenomen *Les Mystères du château du Dé*. 'De kubistische vormen van de villa,' schreef Man Ray, 'deden me denken aan de titel van het gedicht van Mallarmé, "Un coup de dés jamais n'abolira le hasard". Dat zou het thema van de film worden, en zijn titel. De film begint met een scène waarin we twee mannen aan een bar zien zitten. Ze zijn winters aangekleed en hebben allebei een kous over hun hoofd. Ze gooien met dobbelstenen om te zien of ze wel of niet op reis zullen gaan. Dan vertrekken ze. Met onbekende bestemming...'

De tweede film waartoe de Noailles opdracht gaven, zou hun leven veranderen. Het was *L'Âge d'or* van Luis Buñuel (1900-1983), die het scenario schreef tijdens een verblijf in de villa. Iedere avond las hij het echtpaar voor wat hij die dag had geschre-

Luis Buñuel, sportend in 1919.

ven. Ze vonden het prachtig.

Een week na de première in Parijs brak de rel uit die door Buñuel in zijn autobiografie *Mon dernier soupir* zo is beschreven: 'Net als *Un Chien andalou* begon de film te draaien in Studio 28 en hij trok zes dagen lang volle zalen. Daarna, terwijl de rechtste kranten tegen de film tekeergingen, voerden de "koningsgezinde propagandisten" en de patriottische jeugd een aanval uit op de bioscoop, ze reten de schilderijen van de surrealistische expositie in de hal aan flarden, gooiden bommen naar het scherm, braken stoelen in stukken.' Charles de Noailles werd uit de jockeyclub gezet, en het echtpaar werd het middelpunt van een anti-semitische lastercampagne. Ze vluchtten naar Hyères. Voor Charles de Noailles was de lol eraf. Hij zou zich steeds verder terugtrekken, niet alleen uit het artistieke leven, maar ook uit het leven van zijn vrouw.

Op 20 april 1932 vindt op de Villa Noailles, die inmiddels de Villa Hyères is gaan heten, het Festival Vicomte de Noailles plaats. Er wordt een groot aantal kunstenaars uitgenodigd die het vrij staat te doen wat zij willen. Salvador Dalí en René Crevel weigeren te komen, maar Darius Milhaud, Francis Poulenc, Auric, Markevitch en Sauguet componeren en dirigeren ieder een stuk in het theater van Hyères. Jean Cocteau tekent het programma, Bérard ontwerpt kostuums voor de gasten die zich willen vermommen en Buñuel, daartoe aangezet door André Breton, schrijft in een uur de teksten die tezamen 'Een giraf' vormen. Met de tekst ging Buñuel naar Giacometti. Hij vroeg hem of hij 'een giraf op ware grootte wilde tekenen en uit triplex zagen'. Giacometti ging mee naar Hyères en maakte de giraf. 'Alle vlekken van die giraf,' schrijft Buñuel in *Mijn laatste snik*, 'die op scharnieren gemonteerd waren, kon je met de hand oplichten. Daaronder las je de zinnen die ik in een uur had opgeschreven en die, achter elkaar gelegd, een schouwspel van vierhonderd miljoen dollar zouden hebben vertegenwoordigd als datgene wat erin gevraagd werd letterlijk ten uitvoer was gebracht.'

Om een indruk te geven citeer ik hier de teksten achter de zesde en achtste vlek:

In de zesde: de vlek strekt zich uit over de hele breedte van de giraf. Dan ontwaart men het landschap door het gat; op een tiental meters ligt mijn moeder – mevrouw Buñuel – gekleed als wasvrouw, geknield bij een beekje het linnengoed wassend. Achter haar een paar koeien.

In de achtste: deze vlek is enigszins concaaf en blijkt overdekt met ragfijne, krullende, blonde haren, die zijn gehaald van de schaamte van een jonge, geheel onschuldige en argeloze opgroeiende Deense met intens blauwe ogen, een mollig lichaam en een door de zon verbrande huid. De kijker zal zachtjes over de haren moeten blazen.

Buñuel zei over zichzelf dat hij 'niet zo'n schrijverstype' was. Maar een groot schrijver was hij, *Mon dernier soupir* en *Le Christ à cran d'arrêt*, waarin 'Een giraf' is opgenomen, laten hierover geen twijfel.

De giraf werd in een tuin opgesteld en de gasten konden met behulp van een houten trapje gaan kijken welke geheimenissen er achter de vlekken schuilgingen. De gasten vonden het prachtig, maar toen Buñuel en Giacometti na de koffie terugkwamen in de tuin was de giraf verdwenen. 'Ik weet niet wat er van de giraf is geworden,' schrijft Buñuel. 'Charles en Marie-Laure hebben er in mijn aanwezigheid nooit op gezinspeeld. En ik durfde niet naar de reden van die plotselinge verbanning te vragen.' Helemaal verdwenen was de giraf natuurlijk niet. We hebben Buñuels tekst, zoals opgenomen in *Le Surrealisme au service de la révolution* en vertaald door Barber van de Pol in de bundel *De Andalusische hond*. Dat ik de giraf in triplex nooit zou zien heb ik echter lang zeer betreurd. Maar zie, in het kader van de honderdste geboortedag van Luis Buñuel verscheen *El ojo de la libertad*. In het boek trof ik een in april 1932 genomen foto. In de lichtvlekken tussen de bomen van een lommerrijke tuin in Hyères staan Luis Buñuel en Alberto Giacometti. En daar, tussen het tweetal in, op hoge uitgezaagde poten en met een uitgezaagde nek die tot de hoogste bladeren reikt, staat hij, de giraf.

Het Festival Vicomte de Noailles was de laatste grote manifestatie die in en om de villa plaatsvond. Marie-Laure de Noailles, die toen al gescheiden van haar man leefde, richtte haar activiteiten verder op Hyères, als ze niet in Parijs of elders was. Ze stierf op 29 januari 1970 en twee weken later stond de villa te koop. Drie jaar later meldt de gemeente Hyères zich als koper, maar het verval heeft dan al stevig ingezet. Op de foto's, zoals opgenomen in *La Villa Noailles, une aventure moderne* is het akelig goed te volgen. De gruwelijkste foto's zijn die waarop je het smerige water in het verloederde zwembad ziet staan en, nog erger misschien, die van de door krakers in gebruik genomen openluchtslaapkamer van Charles de Noailles. Er liggen slonzi-

Luis Buñuel, Alberto Giacometti en de giraf in de tuin van de Villa Hyères.

ge slaapzakken op het beton, een morsig matras zweeft aan vier touwen, alles is smerig en kapot. De villa als een kasba – je kon er met z'n twintigen logeren en elkaar nooit tegenkomen – stond op instorten toen het wonder geschiedde. In 1985 nam de gemeente de restauratie ter hand en nu, ruim vijftien jaar later, is er een cultureel centrum gevestigd. Natuurlijk, er vinden manifestaties plaats waarover je liever niet wil weten, maar het huis staat. Hoog boven Hyères. Een monument voor de avantgarde van weleer.

De crashes van Antoine de Saint-Exupéry

Vliegen is nog altijd eng, maar in het begin van de jaren twintig toen in Frankrijk de reguliere luchtvaart op gang kwam met het grote avontuur van de Lignes Aériennes Latécoère, beter bekend als La Ligne, die langs de Spaanse en Afrikaanse kust post van Toulouse naar Dakar vloog, was het zonder meer levensgevaarlijk. De vliegvelden waren uiterst primitief, nachtvliegen moest nog worden uitgevonden en de communicatie tussen vliegtuig en grond geschiedde middels postduiven. Door gebrekkige navigatiemiddelen verdwaalden piloten, ze verdwenen spoorloos in wolken en onweersbuien, motoren gaven het op en als een piloot een noodlanding moest maken, was de kans groot dat hij met 'het blauwe volk', de gevreesde nomaden van de Rio de Oro, te maken kreeg.

Eind mei 1926 vertrekken er twee postvliegtuigen van Casablanca naar Dakar. Het ene wordt gevlogen door een zekere Ville, het andere door Jean Mermoz. Het is Mermoz' vierde run. Tijdens de vlucht krijgt hij problemen met zijn motor. Hij zet het toestel aan de grond en constateert dat het niet te repareren valt. Mermoz en zijn tolk Ataf bevinden zich vlak bij Fort Juby, het vliegveldje tussen Casablanca en Dakar, maar dat weten ze niet. Ze wachten op de terugkeer van Ville, die ongetwijfeld hulp aan het halen is. Maar er gebeurt niets. Een paar uur later besluiten ze op weg te gaan. Ze nemen wat tomaten en brood, twee blikjes sardientjes en een zak water mee en beginnen naar het zuiden te lopen. Na een tocht van drie dagen keren ze terug naar hun vliegtuig. Hun water is op. De volgende morgen drinken ze het water uit de radiateur. Dan gaan ze weer op weg, naar het noorden deze keer. Tijdens deze tocht worden ze gevangengenomen door nomaden. De tolk onderhandelt en noemt het bedrag aan losgeld dat de nomaden voor hun twee gevangenen kunnen vragen. Mermoz verwacht ieder moment de kogel te krijgen, maar hij wordt halfnaakt vastgesnoerd op de rug van een kameel. Dan begint een vreselijke tocht van enkele dagen. Ten slotte belanden ze bij de broer van de sultan van Taroudannt, die Frans spreekt, zodat de onderhandelingen eindelijk goed op gang komen. Een paar dagen later arriveert het losgeld van duizend peseta's en worden Mermoz en Ataf vrijgelaten. Ze hebben geluk gehad. Een paar maanden later, op 10 november 1926, zijn twee bemanningen minder fortuinlijk. Een Breguet XIV die bestuurd wordt door Léopold Gourp maakt een noodlanding in het Rio de Oro-gebied, waarop Henri Érable, die het escorterende vliegtuig bestuurt, zijn Breguet ook aan de grond zet. In het toestel bevinden zich naast Érable de tolk Ataf en Lorenzo Pintado, een boordwerktuigkundige die een kleine technische storing constateert. Maar tijd om de Breguet te repareren krijgt hij niet. De nomaden duiken op en bij het eerste geweervuur worden Érable en Pintado gedood. Gourp raakt zwaar gewond aan een van zijn benen. Hij lijdt ernstig bloedverlies, maar Ould Haj Rab, de hoofdman van de R'Gueibat besluit hem in leven te houden voor het losgeld. Gourp wordt aan een kamelenzadel gebonden en de karavaan gaat op weg naar Fort Juby. Onderweg krijgt Gourp wondkoorts, hij gilt van de pijn, hij hallucineert. Hij probeert zelfmoord te plegen met gif uit de verbandtrommel van de Breguet, maar dat mislukt. Hij raakt in coma. Ould Haj Rab, die vooruit is gegaan, heeft inmiddels Fort Juby bereikt en komt overeen dat Gourp voor vijfduizend peseta's zal worden overgedragen. Lasalle en Riguelle stijgen op om Gourp te gaan halen bij de karavaan die zich op tachtig kilometer van Fort Juby bevindt. Hij wordt losgemaakt van het kamelenzadel en ingevlogen. In Fort Juby wordt het duidelijk dat het been van Gourp geamputeerd moet worden. Maar de verbandpost is niet uitgerust voor een dergelijke operatie. Dus komt er uit Toulouse een Laté 27 limousine waarmee Gourp, nog steeds in coma, naar Toulouse wordt teruggebracht, om daar enkele dagen later in het ziekenhuis te sterven. Hoe het met Ataf is afgelopen, vertelt het verhaal niet.

Alle piloten die in het begin van de jaren twintig betrokken waren bij La Ligne zijn bij ongelukken om het leven gekomen. Als Antoine de Saint-Exupéry (1900-1944) op 1 december 1940 verneemt dat Henri Guillaumet boven de Middellandse Zee door een Italiaanse jager is neergehaald, maakt hij de balans op. Aan zijn vriendin Nelly de Vogüé schrijft hij: 'Guillaumet is dood en het lijkt vanavond of ik geen vrienden meer heb. (...) Van de oude tijd van de grote dagen van de Breguet 14 is iedereen dood, Collet, Reine, Lasalle, Beauregard, Mermoz, Étienne, Simon, Lécrivain, Wille, Verneilh, Riguelle, Pichodou en Guillaumet. Er is niemand meer op aarde met wie ik mijn herinneringen delen kan. Daar zit ik, een tandeloze en eenzame oude man, die het in z'n eentje moet verwerken.'

Hoe beter de piloot, hoe meer kans hij had om te overleven, maar ook de beste piloot had niet veel kans. Het is daarom een wonder dat een brokkenpiloot als Saint-Exupéry zolang is meegegaan. De anekdote over zijn eerste solovlucht, in 1921, zoals hij die zelf graag vertelde, is in dezen zeer betekenisvol. Volgens het verhaal had hij er op een ochtend genoeg van gekregen op zijn instructeur te wachten en was alleen in het lesvliegtuig gestapt en opgestegen. Maar toen hij na een paar rondjes weer wilde landen, kwam hij tot de ontdekking dat hij niet precies wist hoe dat moest. Terwijl men hem vanaf de grond instructies probeerde te geven, bleef hij rondjes draaien. 'Plotseling,' en ik citeer nu Saint-Exupéry's eerste biograaf René de Lange, 'voelde hij een zonderlinge warmte onder zijn voeten. Hij keek omlaag: de planken van het vliegtuig werden langzaam door het vuur verteerd... Deze keer mocht hij niet aarzelen, hij kon beter op de

De crash van 1933.

grond verongelukken dan in de lucht verbranden. En door een wonderbaarlijke improvisatie van de piloot kwam het vliegtuig omlaag. Toen hij de grond raakte, zette Saint-Exupéry de motor af en sprong uit het toestel dat nog vijftig meter doorreed. Zijn schoenen waren roodgloeiend. Hij liep als iemand die een beetje aangeschoten was en glimlachte. Hij lachte niet meer toen hij voor commandant Garde stond, een van de luchthelden van de Eerste Wereldoorlog. "U," zei de de officier tegen hem, "zult nooit bij het vliegen omkomen, want dat is al gebeurd..."'

Boordwerktuigkundige Jean-René Lefèbvre vond hem dromerig en slordig. 'Hij maakte fouten. Op talloze vluchten ben ik daarvan een bange getuige geweest.' Paul Nubalde, de latere chef onderhoud van Air France, ging nog verder. 'Ik vloog liever met een echte piloot,' zei hij. 'Saint-Exupéry was geen fantastische vlieger. Hij zat altijd aan iets anders te denken en hij lette niet altijd op wat hij aan het doen was.'

En inderdaad, het aantal absurde ongelukken waarbij Saint-Exupéry betrokken was, grenst aan het belachelijke. Het is een wonder dat hij er iedere keer weer in slaagde iemand te vinden die hem een vliegtuig gaf. Dat hij na het verschijnen van *Cour-*

rier Sud in 1928 een beroemd schrijver was, zal ongetwijfeld hebben geholpen.

Tot zijn bekendste crashes hoort het ongeluk op 21 december 1933 toen hij als testpiloot een Latécoère-watervliegtuig op zee neerzette alsof het de landingsstrip op een vliegveld was. Een van de drijvers brak af en het vliegtuig kapseisde. Drie bemanningsleden wisten via het geopende cockpitluik te ontkomen. De volkomen gedesoriënteerde Saint-Exupéry kon het luik niet vinden. Terwijl het vliegtuig zich met water vulde kroop hij in de romp omlaag tot hij een luchtbel vond. Daar werd hij ten slotte gered. Op 16 februari 1938 probeerde Saint-Exupéry in een Simoun op te stijgen van het vliegveld van Guatamala Stad. Maar de Simoun was te zwaar om los te komen, waarschijnlijk was het overladen omdat er in gallons was getankt en niet in liters, zoals Saint-Exupéry en zijn boordwerktuigkundige Prévot dachten. De klap is verschrikkelijk. De Simoun versplintert in metalen brokstukken die zich in een omtrek van 150 meter verspreiden. Saint-Exupéry, die enkele dagen in coma ligt, breekt zijn kaak en zijn rechterpols en amputatie van zijn linkerarm wordt overwogen. Ten slotte blijkt het niet nodig, maar de verwonding zal hem bijvoorbeeld beletten een parachute te gebruiken. Prévot brak een been. Hij zou nooit meer met Saint-Exupérey vliegen.

Saint-Exupéry's beroemdste crash hadden ze ook samen beleefd.

Op 12 december 1935 bereikte de Franse piloot Japy na zevenennegentig uur vliegen, in hetzelfde vliegtuig, Saigon. Wie erin slaagde het record Parijs-Saigon voor 1 januari 1936 te verbeteren, won een door het ministerie van Luchtvaart en Air-Orient uitgeloofde premie van vijfhonderdduizend franc. Saint-Exupéry die op dat moment financieel behoorlijk aan de grond zat, ging de uitdaging aan. Naar zijn schatting moest het in een goede Simoun in een uur of zeventig kunnen.

Het dagblad *l'Intransgeant* besluit de vlucht te sponsoren in ruil voor een serie artikelen. De oliemaatschappijen stellen ben-

De schrijver van Vol de nuit *bestudeert de kaarten voor vertrek.*

zine beschikbaar, maar de tijd dringt. De Simoun moet uiterlijk op 29 december opstijgen om voor 1 januari Saigon te kunnen bereiken. Jean Lucas, voormalige piloot van de aeropostale, bereidt de tienduizend kilometer lange reis voor. Prévot heeft het druk met de Simoun. Saint-Exupéry houdt zich afzijdig. Op 29 december om vier uur in de morgen wordt Saint-Exupéry naar Le Bourget gereden, waar ze om halfacht opstijgen. Om meer benzine te kunnen tanken is de radio uit de cockpit verwijderd.

Ter hoogte van Sardinië doen zich de eerste moeilijkheden voor. De Simoun verliest hoogte en Saint-Exupéry moet terugkeren naar Marseille. Dan gaat het via Tunis naar Benghazi. De volgende etappe is Cairo, duizendvijftig kilometer, drie uur en twintig minuten vliegen. De volgende dag, maandag 30 december, bereiken ze Damascus, dan gaat het richting Teheran en de Ganges. Na vier uur vliegen is Cairo nog steeds niet in zicht. Saint-Exupéry vermoedt dat hij Cairo rechts heeft laten liggen en hij daalt tot onder de wolken op zoek naar oriëntatiepunten. Maar er is niets te zien, alleen de mist boven de woestijn. De hoogtemeter geeft 400 meter aan. Op dat moment raakt de Simoun de grond. Het toestel glijdt tweehonderdvijftig meter over de keien, verliest zijn rechtervleugel en komt tot stilstand. Het is 4.46 uur in de morgen. Zoals later zou blijken, was de Nijl nog ver weg. Saint-Exupéry had een uur achterstand op zijn vluchtschema en had toen hij de wolken uit kwam dus geen idee waar hij was. In zijn Saint-Exupéry-biografie noemt Paul Webster het 'zo'n grove navigatiefout voor een ervaren langeafstandsvlieger dat het onvermijdelijk een incident in herinnering roept, waarbij hij slechts tien minuten nadat hij was opgestegen in een veld landde omdat hij dacht dat zijn benzine opraakte.'

Saint-Exupéry en Prévot zijn geen van beiden gewond. Maar hun watertanks zijn opengescheurd en ze hebben vrijwel geen voedsel bij zich. In de dagen die volgen zwerven ze door de woestijn, vergeefs op zoek naar de bewoonde wereld. 's Nachts slapen ze onder het wrak van de Simoun en 's morgens vegen ze de morgendauw van de romp om iets te drinken te hebben.

In Parijs is in het Hôtel Pont-Royal een crisiscentrum ingericht, waar Saint-Exupéry's vrouw Consuela de scepter zwaait. Zijn moeder en zijn eerste vrouw zijn ook aanwezig, net als de schrijvers Léon Werth, Joseph Kessel en Léon-Paul Fargue.

De derde dag laten Saint-Exupéry en Prévot hun Simoun definitief in de steek. Ze lopen oostwaarts. Uitgeput, hongerig, zo uitgedroogd dat ze niet meer kunnen praten. En dan gebeurt het wonder. Er duikt een groep bedoeïenen op. Saint-Exupéry,

Antoine de Saint-Exupéry bij het wrak van zijn Caudron Simoun, in de woestijn van Libië.

die zich het blauwe volk van de Rio de Oro maar al te goed herinnert, belooft een hoge beloning en in zijn beste Arabisch legt hij uit: 'Tayara boum-boum.' 'Tayara' betekent 'vliegtuig'. De bedoeïenen begeven zich naar de dichtstbijzijnde blanke, Émile Raccaud, manager van een Egyptische zoutwinningsmaatschappij. Ze geven hem een notitie van Saint-Exupéry: 'Ze wilden ons per kameel brengen, maar dat konden we niet meer opbrengen. Mogen we hopen dat u ons zo snel mogelijk komt halen met een auto of de boot?'

Een paar uur later kan Saint-Exupéry vanuit het Mena Hotel aan de voet van de piramide van Gizeh zijn vrouw laten weten dat hij nog leeft. Ze valt prompt flauw. Als ze weer bij is, begeeft het gezelschap zich naar Lipp om het te vieren.

De premie van een half miljoen franc ging aan Saint-Exupéry's neus voorbij. Maar wel was hij op slag een van de helden van Frankrijk geworden. En *Terre des Hommes,* het boek waarin zijn tocht door de woestijn zo'n belangrijke plaats inneemt, is niet alleen zijn mooiste roman, maar het zou hem ook rijk maken.

Saint-Exupéry crashte voor het laatst op 31 juli 1944. Zijn lichaam is nooit teruggevonden.

Robert Desnos en de roos

In mei 1944 verscheen in Parijs bij de Librairie Gründ *30 Chantefables* van Robert Desnos (1900-1945) met illustraties van Olga Kowalevsky. Het boekje was bedoeld 'voor alle brave kinderen' en de verzen waren 'op ieder wijsje te zingen.' Tot de dertig dieren die Desnos langs laat vlinderen horen de pad, de slak, de gnoe, de koekoek, de dromedaris en de kangeroe. Dit is:

De pelikaan

Het kapiteintje Jongejaan
Met zijn geruite pikbroek aan
Ving een keer een pelikaan
In een land hier ver vandaan.

De pelikaan van Jongejaan
Lei een eitje, heel spontaan
En daaruit kwam een pelikaan
Sprekend die van Jongejaan.

En die tweede pelikaan
Lei ook een ei, 'twas zo gedaan
En daaruit kwam heel kallum aan
Zowaar een derde replikaan.

Was die niet in de pan gegaan
Dan kwam er nog zo'n pelik aan.

De beroemdste van het spul is de mier. Dat Joseph Kosma het dier op muziek zette en dat Juliette Gréco het op haar repertoire nam, zal daar zeker mee te maken hebben. Dit is mijn, vernederlandste, versie:

De mier

Een mier van achttien voet
Met op zijn kop een hoed,
Dat kan niet bestaan,
Dat kan niet bestaan.
Twee mieren voor een wagen
Vol ezeltjes uit Schagen,
Dat kan niet bestaan,
Dat kan niet bestaan.
Een mier met wie ik versjes lees
In het Frans en Japanees,
Dat kan niet bestaan,
Dat kan niet bestaan.
O nee? Waarom niet!

Op het moment dat de mier zijn lichtvoetige opwachting maakte in de straten van Parijs, bevond zijn schepper zich in Auschwitz.

Toen Desnos in 1926 had geweigerd communist te worden, werd hij door Breton in de ban gedaan. Vanaf dat moment gaat hij zijn eigen weg. Hij schrijft schitterende gedichten die in 1930 verzameld worden onder de titel *Corps et biens*. Om in leven te blijven werkt hij voor de radio. Zijn radiostrip *Fantômas* is een triomf.

In dezelfde tijd schreef hij ook reclameslogans voor de radio. 'Ik ben de meest gehoorde dichter van Europa,' zei hij graag.

Robert Desnos, gezongen door Juliette Gréco.

Zijn vrienden beweerden uiteraard dat ze nooit naar die onzin luisterden. 'Natuurlijk niet,' zei Desnos en terwijl hij ze een borrel inschonk, neuriede hij dan: 'Quand je bois un Cinzano', waarop iedereen inviel met 'oh, oh, oh, oh, oh!'

Tijdens de bezetting schreef Desnos, die in het verzet zat,

Robert Desnos.

voor een door de Duitsers geleide krant, *Aujourd'hui*, om informatie te verzamelen en om geld te verdienen. Toen hij iets onaardigs over *Les beaux draps* van Céline had gezegd, liet Céline een ingezonden brief in de krant plaatsen. 'Dood aan Céline en lang leve de joden!' had Desnos volgens hem geschreven. Céline beschuldigde Desnos ervan 'een filosmousische campagne' te voeren. Waarom zet hij zijn portret niet onder zijn stukken? vraagt Céline. En face en en profil: 'De natuur ondertekent al zijn werken – "Desnos", dat betekent niets.' Desnos reageerde waardig. 'Een literair criticus zou maar één alternatief hebben: of je roept "Dood aan Céline" of je roept "Dood aan de joden." De verantwoordelijkheid voor deze vreemde en niet erg exacte opvatting laat ik aan de heer M. Louis Destouches, zich noemende "Louis Ferdinand Céline". Robert Desnos zich noemende Robert Desnos.' Céline had Desnos al eerder via de krant onder de aandacht van de nazi's gebracht. Het zat hem zeer dwars dat hij nog steeds vrij rondliep.

Op 22 februari 1944 wordt Desnos gearresteerd in zijn appartement in de rue des Saussaies. Hij kwam in Fresnes terecht, waar hij André Verdet aantrof. Samen hebben ze er op de komst van hun vriend Jacques Prévert zitten wachten. 'Trois copains font mieux la paire,' merkte Desnos op. Op 27 april werden Verdet en hij met zeventienhonderd anderen op transport naar Auschwitz gesteld. Het nummer dat hem daar op de arm getatoeëerd werd, was 185443. Via Buchenwald en Flossenburg belandde Desnos in Floha waar hij dwangarbeid voor Messerschmitt verrichtte. Vanuit Floha stuurde hij enkele brieven aan zijn geliefde, Youki. Op 15 juli 1944 schrijft hij haar: 'Liefste, Ons lijden zou ondraaglijk zijn als we het niet konden beschouwen als een ziekte van voorbijgaande en sentimentele aard. Onze hereniging zal ons leven voor minstens dertig jaar kleur geven. Wat mij betreft, ik neem een flinke slok jeugd; ik zal vervuld van liefde en kracht terugkeren.' Op 7 januari 1945 schrijft hij zijn vierde en laatste brief aan haar. Een paar weken later wordt het kamp ontruimd. Als een van de weinigen overleeft

Desnos de dodenmarsen en op 7 mei bereikt hij Theresienstadt, waar hij tyfus krijgt. 4 juni, om vijf uur in de morgen hoort verpleegster Alena Kalouskova van een collega dat er zich een zekere Desnos tussen de zieken bevindt. Ze gaat op onderzoek uit. Al snel heeft ze hem gevonden: 'Ja, ja. Robert Desnos, Frans dichter, dat ben ik! Dat ben ik!'

Een paar dagen later brengt ze hem een roos, het enige teken van leven dat ze in Theresienstadt heeft kunnen vinden. Robert Desnos stierf in de vroege morgen van 8 juni 1945. De roos werd met hem gecremeerd.

Tien jaar eerder schilderde Desnos een waterverfje van een eenzame roos tegen de grimmige achtergrond van een ommuurd stadje. Op de kale vlakte ligt een opengeslagen boek met de woorden: 'J'aime Youki.'

Het was niet voor niets dat de surrealisten Desnos grote profetische gaven toedichtten.

De val van Jacques Prévert

Over Jacques Prévert (1900-1977) is alles gezegd. Over Jacques Prévert is niets gezegd.

Zijn leven is minutieus in kaart gebracht, maar het mysterie is gebleven. Zijn poëzie is helder als glas, maar ondoorgrondelijk tegelijk. En wie heeft enig zicht op zijn oeuvre? Yves Courrière maakte in zijn biografie de balans op: vijfenvijftig films, dertig boeken, waaronder zes bundelingen van zijn poëzie, van *Paroles* tot *Choses et autres*, talloze plakettes, honderden collages en 543 liedjes, waarvan 'Les Feuilles mortes' het beroemdste is.

Préverts grootste schepping, zijn Parijs, telt Courrière dan nog niet mee. Overal in Parijs stuit je op plekken die er zonder Prévert niet waren geweest. Hele wijken heeft hij uit de grond gestampt of in ieder geval van aanzicht doen veranderen. Wie zal langs het canal Saint-Martin kunnen lopen zonder Préverts aanwezigheid te voelen? Of naar de Moulin-Rouge kunnen kijken zonder aan het beroemde dakterras achter de molenwieken te denken, waar Jacques Prévert en Boris Vian hun nog altijd legendarische feesten gaven? Als u er toch bent, vergeet dan niet de Cité Véron in te lopen. De ingang van het dorpsstraatje bevindt zich links van de Moulin-Rouge. Prévert woonde helemaal aan het eind aan de rechterkant. Iedere dorpsbewoner kan u de precieze plek wijzen.

Prévert heeft zijn sporen overal achtergelaten. Een paar jaar geleden logeerde ik een keer in een hotel op een laag, even num-

Jacques Prévert door Maurice Henry.

mer in de rue de Vaugirard. Vanuit mijn kamer keek ik uit op een oude school. *École pour garçons* stond er tussen de daklijst en de ramen van de bovenste verdieping. Na een dag begon het me te dagen. Woonde de familie Prévert in 1907 niet op nummer 7 in de rue de Vaugirard? En ging de kleine Jacques niet naar de École communales pour garçons op nummer 9? In *Enfance*, zijn onvoltooide herinneringen die in 1959 door *Elle* werden gepubliceerd, schrijft hij dat hij er tijdens de rekenles een keer het volgende probleem kreeg voorgelegd: 'Een leerling gaat om halfnegen naar school en is om halfelf weer vrij, om één uur komt hij terug en om vier uur gaat hij weer. Hoeveel minuten heeft hij zich verveeld?'

In deze school is zijn gedicht 'De slapende ezel' gesitueerd:

Het is een ezel die slaapt
Kinderen, kijk hem slapen
Maak hem niet wakker
Haal geen geintjes met hem uit

Als hij niet slaapt, is hij vaak ongelukkig.
Hij eet niet iedere dag.
Ze vergeten hem te drinken te geven.
En dan wordt hij nog geslagen ook.
Zie hem
Hij is mooier dan de beelden die je mooi moet vinden
en die je vervelen.
Hij leeft, hij ademt, heerlijk weggezakt in zijn droom.
De grote mensen zeggen dat kippen van graankorrels dromen
en ezels van haver.
De grote mensen zeggen dat om iets te zeggen, ze zouden zich
beter kunnen bezighouden met hun eigen dromen, met hun
persoonlijke nachtmerrietjes.
Op het gras naast zijn hoofd liggen twee veren. Als hij ze heeft
gezien voordat hij insliep droomt hij misschien dat hij een
vogel is en dat hij vliegt.
Maar misschien droomt hij van iets anders.
Bijvoorbeeld dat hij op de jongensschool is, verborgen in de kast
voor tekenpapier.
Er is een jongetje dat zijn som niet snapt.
En de meester zegt tegen hem:
Je bent een ezel, Nicolaas!
Dat is heel naar voor Nicolaas.
Hij moet huilen.
Maar de ezel komt uit zijn schuilplaats
De meester ziet hem niet.
En de ezel maakt de som van het jongetje.
Het jongetje brengt de som naar de meester, en de meester zegt:
Heel goed, Nicolaas!
De ezel en Nicolaas schateren zachtjes van het lachen, maar de
meester hoort ze niet.
En als de ezel dat niet droomt komt
dat doordat hij van iets anders droomt.
Het enige dat we weten, is dat hij droomt.
Iedereen droomt.

Enfance staat vol mooie herinneringen. Ze beginnen in 1906, in Neuilly-sur-Seine: 'Vaak stak, in het Bos, een hert een laan over. Her en der zaten mensen te eten, te drinken, aan de koffie. Een dronkenlap kwam voorbij en schreeuwde: Haast u! Eet van het gras, want op een dag zal het gras van u eten!' De toon is er een van lichtvoetige ernst. Prévert heeft het over zijn vader en moeder, maar vooral over zijn vader, over de katten Loubet en Sigurd, het trammetje naar de dierentuin en het Luxembourg: 'Daar zou ik jarenlang mijn vakantie doorbrengen, voordat ik verder weg zou gaan, voordat ik met mijn vriendjes, hangend aan een tram of een vrachtwagen, verre reizen zou ondernemen naar Billancourt, naar La Vache-Noire of naar Issy-les-Moulineaux, de reis om de wereld van Parijs, van de kade van Bercy tot Point-du-Jour.'

Tien jaar na de lagere school moest hij in militaire dienst. 'Wat doe je voor de kost?' vroeg de sergeant hem toen hij opkwam. 'Ik werk met mijn vader.' 'Mooi,' zei de sergeant. 'En wat doet je vader?' 'Die werkt met mij,' zei Prévert en prompt had hij zijn eerste straf te pakken. In militaire dienst ontmoet hij, in Saint-Nicolas-de-Port, Yves Tanguy en, in Constantinopel, Marcel Duhamel. In 1924 wonen ze met z'n drieën in het huis van de familie Duhamel, rue du Château 54, dat al snel een van de broedplaatsen van het surrealisme wordt. Tanguy slaat er aan het schilderen, Prévert bedenkt er het cadavre-exquis, Desnos en Queneau horen tot de vaste bezoekers, Breton is nieuwsgierig. In 1930 komt er met het verschijnen van *Un cadavre*, het pamflet tegen Breton, waaraan Prévert 'Mort d'un monsieur' bijdraagt, een einde aan de periode.

Als Prévert na de oorlog terugblikt zegt hij: 'Het surrealisme was in de eerste plaats een ontmoeting tussen mensen die geen afspraak hadden, maar die zonder op elkaar te lijken op elkaar leken. Om militairen, geestelijken, politici, de grote geheiligde leugens moesten ze lachen. En hun lach, net als schilderijen en geschriften, was een heel gezonde lach die ontegenzeggelijk besmettelijk was. Ze hielden van hetzelfde en haatten en minachtten hetzelfde. Ze hielden van het leven.' Waarna hij, alsof er nooit een ernstig conflict is geweest, allerlei aardige dingen zegt over André Breton, die hij, ook al is hij 'dood, zoals dat wordt genoemd', nog altijd als een vriend beschouwt.

Na de breuk met het surrealisme ontpopte Prévert zich als de gangmaker van de groupe d'Octobre, links geëngageerde theatermakers die zich bezighielden met arbeiderstoneel en straattheater. De meesten waren communist, maar Prévert weigerde lid te worden van de partij, omdat hij, zoals hij het formuleerde, bang was dat ze hem 'in een cel' zouden stoppen.

In dezelfde tijd speelde hij een belangrijke rol in de Franse film. Toen werd het maken van een film in de eerste plaats gezien als een artistiek avontuur. Ook toen speelde geld zijn rol, maar die rol werd gekenmerkt door bescheidenheid. Geld was er voor de film, de film was er niet voor het geld. Het was onbestaanbaar dat de inhoud van een film bepaald zou worden door de winstverwachting. De regisseurs en componisten, scenaristen, liedjesschrijvers en acteurs die de film vormgaven, hadden van winsten nauwelijks weet, ze maakten films en omdat niemand ze kon dwingen iedere keer dezelfde film te maken, deden ze dat ook niet. Wie diep in de nacht op een obscuur kunstkanaal zo'n zwart-witfilm uit de jaren dertig beziet, valt van de ene verbazing in de andere. Wat een rijkdom aan ideeën, wat een vindingrijkheid en een vondsten, wat een durf! Prévert maakte samen met zijn broer Pierre films als *L'Affaire est dans les sac* en *Paris la belle*, maar hij was toch vooral als scenarioschrijver bekend. Hij heeft nog altijd beroemde titels op zijn naam als *Le Quai des brumes* (1938), *Le Jour se lève* (1939), *Les Enfants du paradis* (1943-1944) en *Les Portes de la nuit* (1946).

Het duurde tot 1943 voordat iemand op het idee kwam gedichten van Prévert te bundelen. Emmanuel Peillet, leraar aan het lyceum van Reims, bracht er een aantal bij elkaar, liet ze stencillen op de machine van het stadhuis en deelde het bundeltje, dat een oplage had van tweehonderd exemplaren, vervolgens uit onder zijn leerlingen. Het was oorlog en de bundel verscheen illegaal, zonder dat de schrijver er iets van wist bovendien, maar toen hij ervan hoorde, was hij gelukkig.

Het bundeltje werd gelezen door de jonge uitgever René Bertelé en hij vond dat er een uitgebreide en mooi uitgegeven editie moest komen. Hij beschouwde Prévert als een groot dichter. Prévert zelf lijkt zich om zijn plaats in de literatuur nooit zorgen te hebben gemaakt. Zijn verzen verschijnen in kleine tijdschriften, helemaal niet, of hij geeft het handschrift weg aan vrienden. Als hij hoort dat er iemand is die hem wil uitgeven, is hij stomverbaasd: 'Een bundel! Ik heb mijn gedichten nooit willen verzamelen. Ik heb geen zin om mijn bestaan ingewikkelder te maken.' Hij aarzelt. 'Een poëet,' zegt hij, 'dat is toch iets om op te zitten?' Maar ten slotte laat hij zich overtuigen. Op 20 december 1945 verschijnt *Paroles* met een coverfoto van Brassaï in een oplage van 334 exemplaren. Een halfjaar later verschijnt een handelseditie in een oplage van zesduizend exemplaren. Adrienne Monnier, die een boekwinkel heeft in de rue de l'Odéon, verkoopt vijfhonderd exemplaren in een paar weken tijd en Pierre Bearn van de boekwinkel in de rue Monsieur-le-Prince zet er, in zijn woorden, een paar kubieke meter van weg. Het zijn de eerste stappen op de weg die *Paroles* tot de best verkochte Franse dichtbundel van de eeuw zullen maken.

Om een en ander te vieren vertrok Prévert naar Saint-Paul-de-Vence. Les Frères Jacques, vier mannen die, zoals de ouderen onder ons zich zullen herinneren, zongen met een snor op, waarbij ze gekleed gingen in een soort gestreepte gympakken, kwamen hem daar graag bezoeken. Prévert vulde dan een slakom met pernod en ijs en deelde rietjes uit. Zo kwam de dag wel om.

Prévert had de gewoonte om onverwachts in een vensterbank te springen, om daar dan in al dan niet wankel evenwicht te blijven staan. Hoe hoog de vensterbank was gelegen, maakte hem niet uit, zeker niet als hij had gedronken. Toen hij tijdens een bezoek aan New York, door zijn oude vriend Luis Buñuel op een hoog in een wolkenkrabber gevestigd kantoor werd ontvangen,

Jacques Prévert in 1947.

kon hij het natuurlijk niet laten. Buñuel kreeg bijna een flauwte toen hij zijn Prévert zo naar het niets zag springen. Dat was in 1938. Tien jaar later krijgt het verhaal zijn vervolg op een plek in het VIIIste arrondissement die iedere Préverts-Parijspelgrim zal aandoen, de Champs-Elysées 116. In 1948 bevond zich hier op de eerste verdieping, recht boven de ingang van de Cinéma des Champs-Elysées een studio van de Franse radio. Op 12 oktober 1948 ging Prévert na een lunch in Au Petit Saint-Benoît naar de studio om er zich door Simone Dubreuilh van *Actualités de Paris* te laten interviewen over *Petit Soldat*, zijn nieuwste film. Op de Champs-Elysées was een menigte op de been die uitgelopen was om de kersverse wereldkampioen boksen Marcel Cerdan te huldigen. Prévert leunde tegen de openslaande deuren om het beter te kunnen bekijken. De deuren bleken niet op slot, ze openden zich en de evenwichtskunstenaar viel in de leegte. Hij greep zich nog vast aan een van de letters die de naam van de bioscoop spelde. De letter brak af en na een val van vijf meter sloeg Prévert tegen het trottoir. Er stroomde bloed uit zijn mond, neus en oren. In het ziekenhuis lag hij tien dagen in coma. Toen hij bijkwam, zei hij volgens de overlevering tegen zijn broer: 'Ben ik van de eerste in het VIIIste gevallen of van de achtste in het Iste?' Het zou twee jaar duren voor Prévert weer een letter op papier kreeg. Adrian Maeght, zijn vriend uit Saint-Paul de Vence, waar Prévert die jaren doorbracht, zei later dat er twee Préverts waren, 'die van voor het ongeluk en die van erna'. Misschien, maar waarin verschillen zij dan van elkaar? Is over Prévert alles echt gezegd?

In de jaren vijftig en zestig is Prévert op het toppunt van zijn roem. Hij publiceert het ene boek na het andere, zijn liedjes zijn razend populair, hij schrijft scenario's en gelegenheidsgedichten, en alles wat hij aanraakt verandert in goud.

De aftakeling begint in de jaren zeventig. Tientallen jaren alcoholmisbruik beginnen hun tol te eisen. Als hij ziek wordt, trekt hij zich terug en wil niemand meer zien, zelfs zijn vrienden niet, voor zover die tenminste zelf al niet zijn gestorven: René Bertelé, Picasso, Jean Gabin, Max Duhamel. Robert Doisneau wil hem komen opzoeken, maar Prévert is bang dat zijn oude vriend hem zal fotograferen. Geen sprake van, laat Doisneau weten. 'Voor een goede fotograaf is het heel moeilijk om het te laten,' antwoordt Prévert. 'En ik vind dat het geen zin heeft beelden van jezelf na te laten als je er niet uitziet.'

In maart 1977 dicteert hij op een nacht nog een paar regels aan zijn vrouw: 'Ik heb het gehad! Ik kan niet meer lezen, ik kan niet meer schrijven! Ik ben een ander! Een ander die naar de vorige kijkt, zonder belangstelling overigens.'

Hij sterft op 11 april 1977.

Raymond Queneau en zijn speeltjes

Roman

Raymond Queneau (1903-1978) debuteerde in 1933 met de roman *Le chiendent (Hondsgras)*. Daarna kwamen *Gueule de pierre* (1934), *Les derniers jours* (1936), *Odile (Odile)* (1937), *Les Enfants du limon* (1938), *Un rude hiver* (Een barre winter) (1939) en *Les Temps mêlés* (1941). Als je de romans achter elkaar leest, ontwaar je een auteur die zoekende is. Stuk voor stuk zijn het prachtige boeken, maar toch is het duidelijk dat Queneau zijn draai nog niet heeft gevonden. Er wordt druk geëxperimenteerd, met inhoud en vorm, er worden een paar oude rekeningen vereffend, er moet afscheid van de jeugd worden genomen, en vooral, er moet worden uitgevonden hoe je van een *drôle de roman* een *roman drôle* maakt.

Soms is Queneau er vlakbij, zoals in grote delen van *Hondsgras* en in sommige hoofdstukken van *Les derniers jours*, maar net zo vaak wil het niet echt lukken, zie *Odile* en *Gueule de pierre*, een boek waaraan Queneau met een vasthoudendheid een betere zaak waardig een klein leven lang is blijven sleutelen. En dan, in 1942, komt *Pierrot mon ami (Pierrot)*, waarin alles op zijn plaats valt. Deze detective, waarin, waarschijnlijk, geen misdaad is gepleegd, is de eerste perfecte illustratie van Queneaus beroemde uitspraak 'Y'a pas que la rigolade, y'a l'art' oftewel 'er is meer dan de grap, er is de kunst'. Pierrot is het begin van een serie verbijsterende romans als sublieme grappen die de ernst van het leven genadeloos betrappen: *Loin de Rueil (De droomheld)* (1944), *Le Dimanche de la vie (De zondag des levens)* (1952), *Zazie dans le métro (Zazie in de metro)* (1959), *Les Fleurs bleues (De blauwe bloemen)* (1965) en *Le Vol d'Icare* (1968).

Vrijwel iedereen kent het geluksgevoel dat muziek teweeg kan brengen. Proza dat eenzelfde effect bewerkstelligt, is zeldzaam. Alle romans die Queneau heeft geschreven, zijn pogingen dat geluk op te roepen. Met deze boeken is hem dat gelukt en dat is een geluk.

Zazie in de metro is van Queneaus romans het succesvolst en bekendst, maar hoe mooi ik de geschiedenis van de engel en het kind ook vind, *De zondag des levens* is mij het liefst. Door zijn ondraaglijke lichtheid, maar vooral om zijn hoofdpersoon. Valentin Brû hoort in het rijtje Humbert Humbert, Frits van Egters, Boorman, Kinbote, Josef K., maar op de een of andere manier biedt hij meer, heeft hij meer kanten. Ik denk dat het komt doordat hij eigenlijk niet bestaat. Nu bestaan romanfiguren natuurlijk nooit, maar in dit geval is het bestaan van de romanfiguur ook binnen de roman hoogst twijfelachtig. Als Chantal Ségovia zich in opdracht van haar zuster Julia, die met hem trouwen wil, naar de kazerne begeeft om inlichtingen over hem in te winnen, blijkt hij in de administratie niet voor te komen en dat terwijl hij toch al jaren in het leger zit en recentelijk zelf heeft moeten beslissen of hij ging bijtekenen. Dat doet hij overigens niet en als zijn sergeant hem vraagt wat hij van plan is te gaan doen in het burgerleven geeft hij een antwoord dat hem meteen in de categorie volstrekt ongrijpbare personages plaatst. Hij zegt dat hij straatveger wil worden, en als zijn sergeant tegenwerpt dat dat een vak is zonder toekomst antwoordt hij: 'Maar je houdt toch altijd het precisiewerk; kleine straatjes, kleine hoekjes, moeilijke plekken. Als er een auto staat bijvoorbeeld kan een machine niks doen, ik kan de bezem er altijd even onderlangs halen en daar wordt het in elk geval schoner van. Volgens mij gaat het straatvegen met de hand nog mooie tijden tegemoet.'

Even later vertelt de sergeant hem over het huwelijk dat Julia

Filmaffiche uit 1960.

Ségovia zich voorgenomen heeft en op weg naar de kazerne gaat Brû eens kijken bij haar manufacturenwinkel. Er hangt een sjaaltje met daarop een afbeelding van de Mont-Saint-Michel. Brû bedenkt dat hij daar wel eens heen zou willen, zoals er wel meer plaatsen zijn die hij zou willen bezoeken, het slagveld van Jena bijvoorbeeld, waar hij zoals de lezer al snel vermoeden gaat, op 14 oktober 1806 is gesneuveld. Dat hij dood is, verhindert hem niet schitterende acties te ondernemen. Zo gaat hij, omdat Julia haar garen-en-bandwinkel niet graag op slot doet, na zijn huwelijk alleen op huwelijksreis, naar Bruges-la-Morte. Op de terugweg naar Bordeaux moet hij in Parijs overstappen. Vanaf het gare du Nord gaat hij te voet op weg naar het gare d'Austerlitz, dat hij op een haar na mist.

En zo belandt hij in de rue de Charenton, die hij een erg interessante straat vindt. De plaat op de gevel van nummer 306 ('Uytdrukkelyk verbooden te bouwen aan gene zyde van onderhavige palen ende grenzen', enz. 1726) lijkt hem een van de grootste bezienswaardigheden en ook van het goederenstation een eindje verderop is hij zeer gecharmeerd. Om vooral niets te missen van het landschap loopt hij zo langzaam dat hij wordt ingehaald door een begrafenisstoet, 'een heel bescheiden stoet, zonder pastoor en zonder trompettist'. Het blijkt dat het de kloris van zijn schoonmoeder is die wordt begraven. De schoonmoeder heeft een lijstenwinkel in de rue Brèche-aux-Loups die na haar dood door Brû en zijn vrouw wordt overgenomen.

Op de dag dat Julia's moeder wordt begraven is er na afloop een bijeenkomst waarop enkele winkeliers uit de buurt aanwezig zijn, onder anderen de heren Housette en Virole. Valentin wordt er door Julia op uitgestuurd om een fles cognac te halen, maar, dilemma, waar moet hij de fles kopen, in de winkel van Housette of in die van Virole. Gelukkig heeft zijn alcoholische zwager de oplossing: ze kopen op beide adressen een fles.

Zo begint Brû's carrière in de rue Brèche-aux-Loups, waar hij het in eerste instantie te druk heeft om met een imaginaire bezem de straten van voorbijgangers te reinigen en vervolgens zijn dagen vult met het volgen van de grote wijzer van de klok in de winkel aan de overkant van de straat. De wonderlijkste taferelen spelen zich af in dit winkelstraatje, waar zich in werkelijkheid geen winkel blijkt te bevinden.

Ik ben hier nog nooit geweest, maar nadat ik uit de bus was gestapt en onder de spoorlijn was doorgelopen, wist ik precies waar ik was. Dit is de rue de Charenton en daar is de rue de

Taine, die evenwijdig loopt aan de rue Brèche-aux-Loups, die weer uitkomt op de rue de Wattignies, waar het Café des Amis was, waar Brû iedere dag om vijf over zeven precies naar binnen stapte en hem ongevraagd zijn Dubonnet werd ingeschonken. De buurt is precies zoals ik me had voorgesteld. Uitzonderlijk gewoon, volks. Er zijn garages, kleine winkels en cafés en overal vage landjes. De haast provinciaals aandoende rue de Charenton strekt zich naar twee kanten eindeloos uit en ik begrijp maar al te goed wat Brû zo aantrok in de straat toen hij hem voor de eerste keer zag.

Toen het met Brû's lijstenbusiness steeds minder ging, begon Julia Ségovia in het diepste geheim een praktijk als waarzegster onder de naam Madame Saphir. Als ze een hersenbloeding heeft gehad, waardoor ze waarschijnlijk verlamd zal blijven, zegt ze tegen Valentin dat hij iets voor haar moet doen. 'Neem een karton, zo groot, en schrijf daar goed leesbaar op: 'Morgen weer aanwezig' en prik dat met vier punaises op de linkerdeur op de tweede verdieping van rue Taine nummer 12, achterste trap.'

Natuurlijk zal Brû de volgende dag verkleed als Madame Saphir de plaats van zijn vrouw innemen.

Naast nummer 12 in de rue Taine zit zowaar een foto- annex lijstenwinkel. Als ik naar binnen ga, klingelt het winkelbelletje. 'Monsieur?' zegt de in een stofjas gestoken nazaat van Valentin. Ik doe mijn verhaal. Raymond Queneau, *De zondag des levens*, Brû, Madame Saphir, rue Taine nummer 12. Het zegt de winkelier allemaal niets, maar in een moment van toeschietelijkheid geeft hij me de toegangscode van het pand. 1730B. De deur zwaait open en het volgende moment stap ik de jaren dertig en de roman binnen. Alles is in authentieke staat en precies zoals door Queneau beschreven. Door het labyrint van gangen en binnenplaatsen loop ik naar de achterste trap, dezelfde trap die Brû op ging om als Madame Saphir zijn buurtgenoten een zonniger toekomst te voorspellen dan hun wachtte.

Het licht dat binnenvalt, wordt gefilterd door glas-in-loodramen. Alles is appelgroen. Op de overloop van de tweede verdieping kijk ik naar de linkerdeur. Hier hing het bordje met de tekst

MADAME SAPHIR
Verleden. Heden. Toekomst.
Binnengaan als het slot niet dicht is.
Men neme een magisch nummer van tafel en wachte totdat het aantal belletjes overeenkomt met genoemd nummer.
Humanitaire tarieven.

Het bordje is verdwenen, maar het belletje zit er nog. Wat zou er gebeuren als ik aanbel? Maar ik bel niet aan natuurlijk. Ik keer terug naar de rue de Charenton, waar ik plotseling de Bibliothèque municipale in het oog krijg. Toen Brû de schrijvers wilde gaan lezen naar wie een straat is genoemd in het XIIe arrondissement (Baudelaire, Taine, Diderot, Ledru-Rollin), vervoegde hij zich hier. Hij wilde beginnen met Ledru-Rollin, maar helaas bezat de bibliotheek geen enkel boek van hem, waarop Brû de moed in de schoenen zonk.

Inmiddels is de Bibliothèque municipale alweer jaren gesloten. In de nieuwe openbare leeszaal, in de rue Picpus, hebben ze zelfs geen boek van Raymond Queneau.

Schilder

Na de publicatie van *Loin de Rueil* in november 1944 raakte Queneau in een depressie. Hij wist niet goed hoe het verder moest. Na zoveel romans kon hij nog steeds niet van de pen leven. Misschien gaat het met de kwast beter, dacht hij en hij sloeg aan het schilderen. Tussen 1946 en 1952 maakte hij zo'n honderd tekeningen, zo'n zeshonderd gouaches en aquarellen en een enkel olieverfschilderij. Samen met een aantal andere schilderende schrijvers exposeerde hij onder de door hem bedachte noemer 'Wie kan schrijven, kan ook schilderen', en een jaar later had hij in de galerie van zijn schoonzuster nog een eenmansexpositie.

Maar toen hij zijn werk een keer uitstalde, stelde hij vast: 'Het is niet geweldig.' Een groot deel van dat werk kan nu worden bekeken in het boek *Raymond Queneau – Dessins, gouaches et aquarelles.* Het is inderdaad niet geweldig, maar er zitten de nodige (toevals?)treffers tussen. Het is het soort werk dat je toen niet had gekocht, maar nu graag gehad had. Maar inmiddels is het onbetaalbaar geworden. Van wat het werk nu waard is, had Queneau toen als een filmster kunnen leven.

Poëzie

Naast een groot romancier is Raymond Queneau ook een groot dichter. Hij debuteerde in 1937 met *Chène et chien*, een autobiografische roman in verzen, die, in de vertaling van Jan Pieter van der Sterre, zo begint:

Ik werd eenentwintig februari geboren,
Le Hâvre, negentiendrie.
Mijn moeder had een winkel – mijn pa natuurlijk ook –
in passementerie.
Ze dansten van geluk, maar vreemd genoeg moest ik
al vroeg voor onrecht buigen:
men zocht voor mij een min, een dom, hebzuchtig mens,
wier melk ik kreeg te zuigen.
Prompt perste ze haar borst, een soortement van peer,
tegen mijn lippen aan,
maar ik betwijfel sterk of ik volop genoot
van 't vrouwelijk orgaan.

Na *Chène et chien* volgden de bundels *Les Ziaux* (1943), *Bucoliques* (1947) en *L'Instant fatal* (1948). In *L'Instant fatal* staat 'Si tu t'imagines', het gedicht dat door Joseph Kosma op muziek wordt gezet en vertolkt door Juliette Gréco een enorme hit zal worden. In 1950 publiceert Queneau zijn *Petite Cosmogonie portative,* waarin de geschiedenis van de aarde wordt samengevat. In 1965 volgt *Le Chien à la mandoline* en in 1967, 1968 en 1969 verschijnt de trilogie *Courir les rues, Battre la campagne* en *Fendre les flots*. In 1975, een jaar voor zijn dood, verschijnt *Morale élementaire*.

Drie gedichten, om te laten zien wat voor dichter Queneau is. 'Concorde' komt uit *Courir les rues* (1967), zijn lofzang op de stad, 'Het varken' uit *Battre la campagne* (1968), waarin de verschrikkingen van het platteland centraal staan en 'Waarheen de beekjes gaan' uit *Fendre les flots* (1969), over het water waarmee alles begint en eindigt.

Concorde

De conducteur was een neger
Ik vraag hem: 'Hoeveel kaartjes
naar de Concorde'
Hij antwoordt me
maar ik begrijp hem niet
Ik vraag hem opnieuw: 'Hoeveel
kaartjes naar de Concorde'
Hij antwoordt me
maar ik begrijp hem nog steeds niet
Ik vraag hem nog een keer
'Hoeveel kaartjes naar de Concorde'
Dan wordt hij woedend de zwarte conducteur zijn ogen rollen
op wit en hij schreeuwt:
'Drie!'
'Oh,' zeg ik, 'je gaat me hiervoor toch niet opeten'

Nee, dat heb ik niet gezegd
want het is verboden grappen te maken
met het personeel van het Parijse vervoerbedrijf.

Het varken

Het varken is een vriend van de mens
het lijkt sprekend op hem zoals iedereen weet
vooral zijn tanden lijken immens
alsmede wat hij graag eet
het varken is een vriend van de mens
men keelt hem zoals dat dus heet
het bloed kolkt hem dan uit zijn pens
waarvan men heel smakelijk eet

biggetje aanbiddelijk
en bekoorlijk dier word je tot iets
eetbaars dan verdwijnt en wel onmiddellijk
de aantrekkingskracht van je jeugd in het niets

aan twee poten opgehangen
met een afgesneden strot
schreeuw je je een lange
middag rot en rot en rot

en als je ten slotte mag verrekken
zullen ze aan de bloedworst gaan
die ze uit je lichaam laten lekken
zo, varken, is het eind van je bestaan

voor jou is er geen mooie dood
waarin je lekker uit kunt hangen
met je ingewanden in je schoot
en je goed begraven hammen

Waarheen de beekjes gaan

Om middernacht stroomt geen beekje door de straten
het wordt pas geboren met de dageraad en de vriendelijke
veger die zijn deuren opengooit en zijn stappen stuurt
schuift vuil in zijn heldere water: dode bladeren
metrokaartjes en geleegde asbakken
het maakt niet uit wat allemaal gaat naar de mond
die het stroompje opslokt om het naar het riool te leiden
Het wordt als blauw herboren als het uit het donker gekomen
zijn droesem achterlaat op het waterzuiveringsterrein
Dan schoner en vrijer gaat het zeewaarts
om ver van de havens de schat van het mogelijke te hervinden

Spel

In 1937 publiceerde Queneau 'La Technique du roman'. In het stuk stelt hij vast dat voor een roman geen regels gelden, 'Iedereen,' schrijft hij, 'kan, als was het een troep ganzen, een onbepaald aantal personages die schijnbaar echt zijn voor zich uit jagen over de onbegrensde vlakte van pagina's of hoofdstukken. Het resultaat, hoe het ook uitvalt, is altijd een roman.' Dan volgt een uiteenzetting over de zelfopgelegde regels waaraan hij zich in *Hondsgras* heeft gehouden. Eenennegentig hoofdstukken (7 x 13) moesten het worden, omdat 91 de som is van de eerste dertien getallen, terwijl de som van de cijfers van het getal zelf 1 is, het getal van de dood en de terugkeer naar het leven. De 7 was weer het getal van Queneau, omdat zijn naam en zijn twee voornamen ieder uit zeven letters bestaan en omdat hij op een 21e (3 x 7) was geboren, enzovoort, enzovoort.

Hondsgras is van 1933.

Stijloefeningen is van 1947.

U weet ongetwijfeld hoe *Stijloefeningen* in elkaar steekt. Een anonieme verteller ziet hoe een man van een jaar of zesentwintig met een lange nek en een slappe vilthoed op op het achterbalkon van bus S ruzie krijgt met een medepassagier omdat die

Raymond Queneau.

hem op zijn tenen zou hebben getrapt. Twee uur later ziet hij de ruziemaker opnieuw, deze keer bij het gare Saint-Lazare, nu in gezelschap van een vriend die hem adviseert een extra knoop aan zijn jas te laten zetten. Een en ander bij benadering, want ondanks de beknoptheid van de geschiedenis zitten er de nodige haken en ogen aan. Deze pointeloze gebeurtenis wordt door Queneau op negenennegentig verschillende manieren verteld. In sonnetvorm, als blijspel, in de verleden tijd, de tegenwoordige tijd, in het boers, als telegram en hoe al niet. Iedere keer weer die tenen en die knoop aan de jas, het is om gek van te worden, maar misschien is dat juist wel de aantrekkingskracht van het boek.

In *Hondsgras* zijn de beperkende regels onzichtbaar gebleven, terwijl ze in *Stijloefeningen* het boek uitmaken, maar allebei zijn het boeken van iemand die van regels en spelletjes houdt. Queneau is zo iemand die voor de foto gauw een van een krant gevouwen muts opzet, die een prijs in het leven roept om een boek van een vriend te bekronen, gek op blaadjes en clubs van jongens die maar niet volwassen willen worden.

De beroemdste club na de Académie Goncourt, waarvan Queneau lid was, is het Collège de Pataphysique, dat hem op 11 februari 1950 tot satraap verkoos. Het Collège was opgericht op 11 mei 1948, in de dagen dus dat er nog geen patafysische kalender bestond. De grondlegger van het Collège is de fameuze Dr Sandomir. Bij mijn weten bestaat er maar één foto van hem, een enigszins diffuus portret van een man met een hoop baard.

Zijn naam geeft ook te denken en vandaar waarschijnlijk dat Jean Paulhan toen het Collège zijn dood bekendmaakte het waagde te schrijven 'dat het gelukkig hoogst waarschijnlijk was dat de dokter nooit had bestaan'. Het Collège liet toen de beroemde ansichtkaart drukken met de tekst 'Jean Paulhan bestaat niet', waarvan Paulhan er honderden mocht ontvangen.

Zoals eenieder weet die *Les Gestes et opinions du Docteur Faustroll pataphysicien* van Alfred Jarry heeft gelezen, is de patafysica de wetenschap van imaginaire oplossingen. In zijn in-

Raymond Queneau tijdens een banket van het Collège de Pataphysique. Let op zijn broche: het symbool van het college.

augurele rede wees Dr Sandomir dan ook op de problemen die zich voordoen als een gezelschap dat, zoals het Collège, verankerd ligt in de verbeelding de overstap naar het bestaan wil maken. Dat was op de eerste onthersening van het jaar 76 van het patafysische tijdperk. Alle remmen gingen los en in korte tijd ontstond een uiterst gecompliceerde beweging met zijn eigen hiërarchie, zijn eigen feesten en rituelen. Er kwam een tijdschrift, er werden boeken en boekjes gemaakt, excursies georganiseerd en er werd veel gegeten, gespeecht en gelachen. Onder de via het onvolprezen coöptatiesysteem benoemde satrapen vinden we behalve Queneau, Marcel Duchamp, Max Ernst, de Marx Brothers, Boris Vian, Jacques Prévert, baron Jean Mollet, M. Esscher, Eugene Ionesco, Jean Miro, René Clair, Michel Leiris, Man Ray, Jean Dubuffet, François Caradec en Henri Salvador.

Een van de gedenkwaardigste dagen uit de geschiedenis van het Collège kwam op 11 juni 1952 toen op het Terras van de drie Satrapen, te weten Boris Vian, Jacques Prévert en zijn hond een nieuwe leider werd ingeluid. Een keuzecommissie bestaande uit Boris Vian, Jean Ferry, René Clair en Raymond Queneau had Queneau, die het tot T.S.G.C.O.G.G. zou brengen (Transcendant Satrape, Grand Conservateur de l'Ordre de la Grande Gidouille) tot Unique Grand Electeur (U.G.E.) gekozen. Op zijn beurt had hij 'baron' Jean Mollet tot opvolger van Dr Sandomir gekozen. Er werd gezongen en gesproken en de door Christian Heidsick aangevoerde champagne vloeide rijkelijk. Twaalf dagen later overleed Boris Vian aan een hartaanval.

Een ander gedenkwaardig ogenblik kwam in september 1960 toen in Cerisy-la-Salle onder de titel 'Raymond Queneau et une nouvellle Défense et Illustration de la langue française' een symposium aan Queneau en zijn werk werd gewijd. Tijdens dit symposium werd besloten om een Séminaire de Littérature Expérimentale (Sélitex) te beginnen. De oprichtingsvergadering vond op 25 november 1960 plaats in restaurant Le vrai Gascon in de rue du Bac. Er waren tien man aanwezig, onder wie François Le Lionnais, Jacques Bens, Jean Queval en Raymond Queneau. Sélitex kreeg hier zijn nieuwe naam: Ouvroir de la Littérature Potentielle, Oulipo. Het doel van Oulipo was 'het ontwikkelen van literaire thema's door gebruik te maken van wiskundige structuren'. Queneau zei: 'Wat wij willen, is aan mensen die iets te zeggen hebben structuren of zelfs nieuwe vormen aanbieden die hen zouden kunnen interesseren. Er zijn twee kanten: de kant van ons onderzoek en een voorlichtende kant, dat wil zeggen dat wij aan de ene kant onderzoeken wat er is gedaan, en aan de andere kant nieuwe vormen proberen te vinden.' De eerste manifestatie van Oulipo was Queneaus *Cent mille milliards de poèmes*, tien sonnetten, waarvan iedere regel zijn plaats in een ander sonnet kan innemen, zodat er tien tot de veertiende, dus honderdduizend miljard gedichten mogelijk zijn. Volgens de berekening van Queneau had je als je 365

Raymond Queneau als zouaaf gelegerd in Algiers.

dagen per jaar dag en nacht doorlas honderdnegentigmiljoen tweehonderdachtenvijftigduizend en zevenhonderdeenenvijftig jaar nodig om ze allemaal te lezen.

Een beroemde Oulipoprocedure is de methode Z+7, waarbij in een tekst ieder zelfstandig naamwoord wordt vervangen door het zelfstandig naamwoord dat in een bepaald woordenboek zeven plaatsen verder staat. Hoe beknopter het woordenboek hoe spectaculairder de resultaten uiteraard. Nemen we de openingszin van *De zondag des levens*:

'Zonder dat hij het wist keek ze hem telkens na als hij voorbijkwam, de winkelierster, langs de zaak, soldaat Brû.'

Via de methode Z+7 en *Koenen's Verklarend Handwoordenboek der Nederlandsche taal* uit 1903, wordt dat:

'Zonder dat hij het wist keek ze hem telkens na als hij voorbijkwam, de winkelopstand, langs de zaal, de soldenier Brû.'

Ook heel bekend geworden is Queneaus onderzoek naar woordovertolligheid in de verzen van Mallarmé, waarbij hij gedichten reduceerde tot hun rijmwoorden en zo nieuwe gedichten liet ontstaan.

Queneau bleef tot zijn dood een enthousiast medewerker van Oulipo. Meteen na Queneaus begrafenis begon Georges Perec aan *La Vie mode d'emploi* wat het grote uit Oulipo voortgekomen meesterwerk zou worden. Het is, heel passend, opgedragen aan Queneau.

Schaak

Queneau was een gepassioneerd schaker. Maar ook genieën blijken op bepaalde terreinen, gelukkig, net gewone mensen. 'Als Godfried Bomans of Cees Buddingh' een simultaan tegen dertig Queneaus zouden spelen, zouden ze dertig keer winnen,' zei grootmeester Hans Ree na bestudering van bijgaande partij, de negende uit een schaakcompetitie tussen Raymond Queneau en Yves Tanguy, winter 1928-1929.

Y. Tanguy		R. Queneau
e2-e4	1	e7-e5
Pb1-c3	2	Pg8-f6
Lg1-c4	3	Lf8-b4
a2-a3	4	Lb4-a5
b2-b4	5	La5-b6
Pg1-f3	6	Pb8-c6

d2-d3	7	d7-d6
Pf3-g5	8	Lc8-e6
b4-b5	9	Pc6-d4
Pc3-a4	10	c7-c6
b5xc6	11	b7xc6
c2-c3	12	Ta8-b8
Ta1-b1	13	Le6xc4
d3xc4	14	Pd4-e6
h2-h4	15	Lb6xf2+
Ke1xf2	16	Tb8xb1
h4-h5	17	h7-h6
Pg5xe6	18	f7xe6
g2-g3	19	0-0
Kf2-g2	20	Pf6xe4
Kg2-h2	21	Tf8-f2+
Kh2-h3	22	Dd8-f6
Th1-g1	23	Pe4-g5+
Kh3-h4	24	Tf2-h2+
Kh4-g4	25	Df6-f5+

René Char: in de werkplaats van de dichter

René Char (1907-1988) komt uit L'Isle sur Sorgue, een klein plaatsje in de Vaucluse, tussen Cavaillon en de Mont Ventoux. Zijn vader was er burgemeester. De familie woonde op Névons, een huis dat genoemd was naar een riviertje dat over hun land stroomde en dat in het dorp bekendstond als het Château Char. Als jongetje verdween hij vaak uren in het land. Hij hield ervan in bomen te klimmen en vaak als hij geen antwoord gaf als hij werd geroepen, zei zijn vader: 'Aqueù pichot, per lou veire, faù regarda adaù,' oftewel: 'Dat joch, om hem te zien moet je naar boven kijken.' In zijn bundel *Les matinaux* uit 1950 schreef hij (de vertaling is van C.P. Heering-Moorman):

Jonge kracht van 'Les Névons'

In de beslotenheid van het park zwijgt de krekel, alléén om er zich te hechter te vestigen)

In het park Les Névons
Met weilanden omgord,
Schakéren
Een beek zonder boord
Een kind zonder vriend
Over en weer hun leed
En leven lichter zo.

In het park Les Névons
Is een opstandige
Bij beek en kind gekomen,
Bij beider luchtkasteel.

In het park Les Névons
Ware de zomer dodelijk
Zonder een krekelstem
Die af en toe ook zwijgt.

Char leefde voor de poëzie. Werken heeft hij altijd geweigerd, een houding die op schitterende wijze wordt aangekondigd in een geschiedenis die speelde in de periode dat hij onder druk van zijn ouders een handelsschool in Marseille bezocht. Hij was toen negentien. In plaats van naar school te gaan ging hij naar de hoeren of hing in de kroeg waar hij whisky en cichorei verkocht. Hij zat een keer te eten toen er vier pooiers binnenkwamen die hem duidelijk maakten dat ze geen prijs stellen op zijn aanwezigheid. Maar Char blijft zitten. De mannen installeren een plankje vlak naast hem, tekenen er een schietschijf op en beginnen er van grote afstand op te mikken met hun messen. Als een mes zijn doel niet goed raakt en valt, raapt Char het op en zegt dat hij het ook eens wil proberen. Hij heeft nog nooit eerder aan messenwerpen gedaan, maar met de moed der wanhoop lanceert hij het wapen en, natuurlijk, midden in de roos.

De pooiers nodigen hem aan tafel en ze zijn stomverbaasd als ze horen dat zo'n getalenteerde jongeman op een school zit die hem voorbereidt op werken. Dat is voor de dommen, houden ze hem voor en vervolgens geven ze hem de nodige lessen in de ware levenskunst. De anekdote is tekenend voor Chars persoonlijkheid, waarin de dichter – het mes dat feilloos doel treft – en de man van de daad zich verenigen. Tijdens de bezetting zou Char een belangrijke rol spelen in het verzet. Zijn reputatie als dichter is dan allang gevestigd. Hij debuteerde in 1928 met de bundel *Les Cloches sur le coeur*. Een jaar later volgt *Arsenal*, dat

René Char, in 1929 beklommen door de dichter Armand Tréguere.

hij opstuurt naar Paul Éluard, die hem prompt een briefje terugschrijft: 'Geachte heer, zou het niet mogelijk zijn dat wij elkaar beter leren kennen? Denkt u er niet over naar Parijs te komen? Het zou me plezier doen u te zeggen hoeveel ik van uw gedichten houd – van dit hele zo mooie boek.' Éluard komt naar L'Isle sur Sorgue en als vanzelfsprekend zal Char zich vervolgens voor enige jaren bij de surrealisten aansluiten. Samen met Éluard en Breton schrijft hij de bundel *Ralentir Travaux* (1930) en daarna volgen de bundels elkaar op: *Le Marteau sans maître* (1934), *Moulin premier* (1936). Op 3 september 1939 schrijft hij

De wielewaal

De wielewaal betrad de hoofdstad van de dageraad.
De degen van zijn zang sloot het droeve bed.
Alles nam voorgoed een eind.

De wielewaal als dichter, de dichter als wielewaal: in 1965 vertelde Char hoe hij eens in de zomer een aantal wielewalen zag die op sterven na dood waren, omdat ze geen voedsel konden vinden. De vijgenbomen waren die winter doodgevroren. Char: 'Ik heb toen een paar kilo vijgen gekocht. Ik heb ze in melk laten opzwellen en daarna ben ik ze aan de takken gaan hangen...'

Toen René Char in 1930 zijn bundel *Artine* publiceerde, liet hij deze advertentie in de krant zetten:

Vrouwen die je niet ziet, opgelet! DICHTER zoekt model voor zijn gedichten. Poseersessies uitsluitend tijdens wederz. slaap. René Char, 8, rue des Saules, Paris. (Onn. te kom. voor het donk. is. Licht is mij noodlottig.)

André Breton en Paul Éluard reageerden met een nieuwe advertentie:

René Char.

Wie heeft ONZE VRIEND René Char gezien sinds hij een vrouw als model voor gedicht heeft gevonden, vrouw van wie hij droomde, mooie vrouw die hem verb. te ontw.? De vrouw was net zo gevaarl. voor de dichter als de dichter voor de vrouw. Wij heb. ze verlaten aan de rand van een afgr. Niemand. Wie kan zeggen waarheen dit verdwenen parfum ons leidt?

Een paar dagen later vervoegen zich – de avond was gevallen – twee vrouwen op het aangegeven adres, waar zich Hôtel Restaurant les 3 Moulins bevond. Er spreekt een zekere luchthartigheid uit deze aanpak, maar laten we ons 'niet vergissen': 'Als wij een bliksemschicht bewonen, is hij het hart van de eeuwigheid.'

Char heeft veel eenregelige verzen geschreven en ze slaan in als een bliksemschicht:

Trianon

Een strooien vlinder bewoonde een hondse schedel

Yves Berger heeft er, in een inleiding bij *Fureur et mystère*, op gewezen dat de vergelijking bij Char vrijwel ontbreekt, het gaat hem om de metafoor: 'On lit: "Les arêtes de notre amertume – L'aurore de la conscience. Le moulin à soleil – Les routes de la mémoire – L'embuscade des tuiles – L'aumone des calaires – Otages des oiseaux, fontaine – L'amande de l'innocence – Le poignet de l'équinoxe –"' Het is een mooie opsomming, die meteen laat zien waarom Char door Berger 'van alle hedendaagse dichters de grootste koppelaar van woorden' wordt genoemd. Uiteraard gaat het dan om woorden waarvan het huwelijk niet echt voor de hand lag. Het maakt zijn toch al zo apocalyptische poëzie er niet eenvoudiger op. Wat er aan de hand is, laat zich goed illustreren aan de hand van het gedicht 'Le grand travail' uit de bundel *Arsenal*:

De zee

Het hart van alle moeders
De kern van alle zeeën
Je ziet het hoofd rekenen.

Het rekenende hoofd kan geen seconde afgezet, zelfs niet als het om een op het oog betrekkelijk toegankelijk vers gaat als 'De gierzwaluw' uit 1948:

Gierzwaluw met te grote vleugels, die zijn vreugde
zwenkt en krijst rondom het huis, zo is het hart.

Hij legt de donder droog. Hij zaait in heldere lucht. Als
hij de aarde raakt, is hij verscheurd.

Zijn antwoord is de zwaluw. Hij verafschuwt het
vertrouwde. Wat is de prijs van torenkant?

Zijn pauze neemt hij in een donker gat. Niemand zit zo
krap als hij.

De zomer van het lange licht duikt hij het duister in
door middernachtste blinden.

Het is niet aan het oog hem vast te houden. Hij krijst, dat
is zijn aanwezigheid. Een nietig geweer zal hem halen.
Zo is het hart.

Françoise Sagan en Billie Holiday

Françoise Sagan (1935) was achttien toen ze *Bonjour tristesse* schreef, een schitterend boek dat haar in één klap wereldberoemd maakte. Toen de roman in 1954 verscheen ontstond er een schandaal, dat heel lang het zicht op de kwaliteiten van de roman heeft weggenomen.

Waarom *Bonjour tristesse* zo'n schandaal veroorzaakte is niet meer navoelbaar. Sagan begreep er toen al niets van, maar achteraf heeft ze twee redenen kunnen bedenken: 'Men vond het ontoelaatbaar dat een meisje van zeventien of achttien zonder verliefd te zijn de liefde bedreef, met een jongen van haar eigen leeftijd, en daar niet voor werd gestraft, waarbij het onaanvaardbare was dat zij niet hopeloos verliefd op hem werd en aan het einde van de zomer niet zwanger van hem was. Kortom, dat een meisje uit die tijd zelf over haar lichaam beschikte, daar genot aan beleefde, zonder dat zij daarvoor onherroepelijk haar verdiende loon kreeg, want zo was dat tot dan toe altijd beschouwd.

Het tweede onaanvaardbare was dat het meisje op de hoogte was van de liefdesaffaires van haar vader, met hem daarover praatte en uit dien hoofde een soort intieme verstandhouding met hem kreeg over onderwerpen die tot dan toe tussen ouders en kinderen onbespreekbaar waren.' Ondanks alle deining rond *Bonjour tristesse* werd Sagan zelf nauwelijks serieus genomen.

Tussen haar negentiende en vijfentwintigste publiceerde

Françoise Sagan op vakantie in Saint-Tropez.

Sagan *Un certain sourire* (1956), *Dans un mois, dans un an* (1957), *Aimez-vous Brahms*...(1959) en het toneelstuk *Château en Suède* (1960). Geen geringe prestatie, maar literair werd ze niet voor vol aan gezien. Als het over Sagan ging, ging het onveranderlijk over nachtclubs, whisky, aan de dijk gezette minnaars, vergokte vermogens en auto-ongelukken. Ik herinner me de foto van de verkreukelde en over de kop geslagen Aston Martin waarin ze, in april 1957, had moeten omkomen als ouverture voor de dodelijke ongelukken van Jean-René Huguenin, Roger Nimier en Albert Camus. Maar Sagan stierf niet en jaren later, in 1984, zou ze in *Avec mon meilleur souvenir*, schitterend over snelheid schrijven (de vertaling is van Greetje van den Bergh):

De platanen langs de weg maakt ze plat, de lichtende letters bij de pompstations langgerekt en verwrongen in het donker, ze knevelt de gierende banden die plotseling doodstil worden van aandacht, ze verwaait ook het verdriet: al ben je smoorverliefd op iemand die je liefde niet beantwoordt, je bent het minder bij tweehonderd kilometer per uur. Het bloed stolt niet meer ter hoogte van het hart, het spuit naar de uiteinden van je handen,

De Aston Martin na het ongeluk in 1957.

van je voeten, van je oogleden, die de beslissende, onverbiddelijke schildwachten van je eigen leven zijn geworden. Krankzinnig zoals je lijf, je zenuwen, je zintuigen je naar het leven trekken. Wie nooit het gevoel heeft gehad dat zijn bestaan zinloos was zonder 'de ander' en tegelijkertijd niet zijn voet heeft geplant op een gaspedaal dat zowel te gevoelig was als te weinig energiek, wie nooit ondervonden heeft hoe zijn hele lichaam waakzaam werd terwijl de rechterhand even liefkozend over de versnellingspook streek, de linkerhand strak om het stuur gesloten en de benen gestrekt, schijnbaar ontspannen, maar klaar om hard uit te halen naar de koppeling en de rem, wie niet bij al deze overlevingspogingen de aantrekkingskracht heeft ervaren van de indrukwekkende, zwijgende nabijheid van de dood, de mengeling van weigeren en uitdagen, die heeft nooit van snelheid gehouden, die heeft nooit van het leven gehouden – of anders misschien wel nooit van iemand gehouden.

Na haar vijfentwintigste bleef Sagan met grote regelmaat publiceren. De romans, reportages, toneelstukken, scenario's, verhalen die ze schreef waren nooit slecht. Ze waren degelijk, maar ze misten de brille van haar eerste werk. En toen, in 1984, kwam *Avec mon meilleur souvenir.* In *Dierbare herinneringen* keert Sagan terug naar de jaren van *Bonjour tristesse.* Ze schrijft over snelle auto's, Saint-Tropez, haar toneelcarrière, haar gokavonturen (in een uur aan de *chemin de fer*-tafel 80 000 pond verloren, en in een uur weer teruggewonnen). De verhalen over haar ontmoetingen en vriendschappen met Orson Welles, Tennessee Williams en Carson McCullers zijn ook prachtig, maar allemaal gekleurd door haar bekendheid. Tennessee Williams nodigt haar uit in zijn huis op Key West, maar dat doet hij omdat hij kennis wil maken met 'het charmante kleine kreng' dat *Bonjour tristesse* heeft geschreven. Orson Welles redt haar uit een meute die haar ieder moment lijkt te kunnen vertrappen, maar dat doet hij omdat hij haar herkent. Ben je geneigd te denken. Maar zo werkt het dus niet.

Toen ik in militaire dienst zat, leerde ik daar de soldaat Kunst kennen. Kunst was het genie van de soldatenslaapzaal uit Rimbauds gedicht 'Droom'. Als ik op vakantie in de omgeving van Sommières een wandelingtje ging maken, zag ik in de verte Lawrence Durrell weleens lopen en toen ik in een jazzcafé een keer tegen Chet Baker op liep, excuseerde hij zich en vervolgde zijn weg naar het podium, waar hij tot in de kleine uurtjes verbazingwekkende muziek liet horen.

Toen André Breton in militaire dienst zat, kwam hij daar Louis Aragon tegen; als Juliette Gréco in Saint-Paul-de-Vence een wandelingetje gaat maken, loopt ze Jacques Prévert tegen het lijf, en een paar dagen later Picasso. En nu Sagan.

Al vanaf haar dertiende had Sagan een obsessie: 'Billie Holiday ontmoeten en "life" horen zingen. De Diva van de Jazz, de Lady of Jazz, Lady Day, de Callas, de Star, de Stem van de Jazz.' De eerste keer dat ze in New York was, voor de promotie van de vertaling van *Bonjour tristesse,* kreeg ze daar de tijd niet voor, maar in 1956 keerde ze terug, samen met componist Michel Magne, net als zij bezeten van Holiday. 'Zodra we,' schrijft ze, 'waren aangeland bij hotel Pierre, het enige dat ik kende omdat ik daar tijdens mijn eerste bezoek was geparkeerd door mijn luxueuze uitgever, verlangden wij, wilden wij, eisten wij Billie Holiday. Wij stelden ons voor dat zij als gewoonlijk triomfen vierde in Carnegie Hall.' Na drie dagen kwamen ze erachter dat Billie Holiday zong in een nachtclub in Connecticut:

In Connecticut? Geen probleem. 'Taxi! We gaan naar Connecticut.' Connecticut was niet hetzelfde als Yvelines, zoals we ons hadden voorgesteld, en we reden bijna driehonderd kilometer door een ijzige kou voordat we, Michel Magne en ik, een buitenissige plek in een uithoek van de wereld binnenstapten, die indruk maakte het althans op mij: het genre countrymuzieknachtclub, met een tamelijk middelmatig, rumoerig en schreeuwerig publiek, waaruit we plotseling een lange, forse zwarte vrouw zagen oprijzen met grote amandelvormige ogen, die ze even sloot voordat ze begon te zingen en ons onmiddellijk meevoerde naar de sterren; rondwentelend tussen wanhopige, sensuele of cynische melkwegen, al naar ze wenste. We voelden ons intens gelukkig, dit was alles waarvan we hadden gedroomd. En ik denk dat we gewoon weer driehonderd kilometer waren teruggereden door de kou, met hetzelfde geluksgevoel, als niet iemand plotseling op het idee was gekomen ons aan haar voor te stellen. Men vertelde haar dat deze twee 'little French' de hele Atlantische Oceaan en dwars door de voorsteden van New York de grenzen van Connecticut waren overgestoken, alleen maar om haar te horen. 'O dears!' zei ze vertederd. 'How crazy you are!'

De kans dat Billie Holiday van *Bonjour tristesse* had gehoord, lijkt me te verwaarlozen, maar natuurlijk herkent ze Sagan, zoals Prévert Juliette Gréco herkende, daarvoor hoefden ze elkaar niet te hebben gezien.

In de twee weken die volgen is Sagan 'veertien dageraden'

lang aanwezig bij jamsessions in de nachtclub van Eddie Condon in New York: 'Soms begeleidde Michel haar op de piano, tot zijn razende trots, en als hij het niet deed, was het een van de ontelbare musici, een van Billie Holidays bewonderaars, die de een na de ander, op de ene of de andere nacht, uit de ene of de andere club kwamen opdagen, gewaarschuwd door de duizend tamtams van de jazz die weerklinken door het nachtelijke duister van New York. Het enige publiek waren wij, de Fransen (...) Gerry Mulligan speelde duetten met de stem van onze vriendin – want dat was ze nu geworden, onze vriendin –, begeleid door een stroom van alcohol, schaterbuien, wederzijds onbegrip en soms woedeaanvallen, die allemaal even snel verdwenen als ze opkwamen.'

Een paar jaar later komen Sagan en Holiday elkaar nog een keer tegen in een nachtclub in Parijs. Het gaat slecht met Holiday, de drugs eisen hun tol: 'Ze zong met neergeslagen ogen, ze sloeg een couplet over, hapte naar adem.' Na een paar songs kwam ze even aan Sagans tafeltje zitten, 'haastig, heel haastig, want de volgende ochtend vertrok ze geloof ik naar Londen, of naar een andere stad in Europa, dat wist ze niet meer precies. 'In elk geval, darling,' zei ze, 'you know, I am going to die very soon in New York, between two cops.'

Sagan was verbijsterd toen ze een paar maanden later las dat 'Billie Holiday de nacht tevoren tussen twee smerissen in een ziekenhuis was overleden, alleen.'

De verloren jeugd van Georges Perec

Het schrijversleven van Georges Perec (1936-1982) kent een merkwaardig verloop. Hij debuteerde in 1965 met de korte roman *Les Choses; une histoire des années soixante,* een boek dat hem in korte tijd beroemd maakte. Hij won er de Prix Renaudot mee en het werd in veertien talen (waaronder het Nederlands) vertaald. Het leek het begin van een succesvolle carrière, maar toen Perec op 29 oktober 1976, de dag na de begrafenis van Raymond Queneau, aan *La Vie mode d'emploi* begon te schrijven, had hij nog steeds een baantje in een laboratorium; hoewel hij sinds *Les Choses* vrijwel ieder jaar een boek had gepubliceerd, kon hij niet van de pen leven. De publicatie van *La Vie mode d'emploi* in 1978 was voor zijn uitgever dan ook een waagstuk. De dikke en gecompliceerd ogende roman kon alleen maar een succes worden als hij niet te duur was, de prijs kon alleen maar laag worden gehouden als hij een succes zou worden. Perec won de Prix Médicis en daarmee waren de problemen opgelost. Net als in 1965 was Perec weer een bekend en succesvol auteur, maar het succes leek van korte duur. Perec publiceerde nog een boek, *Un Cabinet d'amateur* uit 1979, en drie jaar later was hij dood. Waarna de derde en naar het zich laat aanzien definitieve wederopstanding begon.

Toen *La Vie mode d'emploi* verscheen, hadden alleen de Bulgaren belangstelling voor een vertaling, maar in de jaren na de dood van Perec is het boek een ware zegetocht over de wereld begonnen en in het kielzog van dat boek begon zijn hele oeuvre een tweede leven.

Toen ik in het najaar van 1981 met *La Vie mode d'emploi* kennismaakte, wist ik helemaal niets van Perec of het boek. Het waren gewoon een schrijver en zijn boek. Maar het boek bracht me het hoofd geheel op hol. Na een paar bladzijden al liet ik me met sterretjes voor ogen door Perec van het ene vertrek naar het andere leiden in het enorme huis, rue Simon-Crubelier nummer 11 in Parijs. Het is een duizelingwekkend boek, vol verhalen die tegelijkertijd niets en alles met elkaar te maken hebben. Geheel verbijsterd was ik, maar behalve dat het heel ingewikkeld in elkaar stak, was me aan de structuur van het boek verder niets bijzonders opgevallen. Rudy Kousbroek heeft eens beschreven hoe Perec hem een paar pagina's van *La disparition* liet lezen. 'Valt je niet iets op?' zei Perec. 'Nee,' antwoordde Kousbroek en Perec tevreden natuurlijk, want de e ontbrak, in het hele boek. Bij lezing van *Le chiendent* van Raymond Queneau had ik ook niets in de gaten en zo was het ook bij *La Vie mode d'emploi*, maar natuurlijk las ik daarna de andere boeken van Perec en al snel begon me een en ander duidelijk te worden, onder meer dat aan *La Vie mode d'emploi* een soort formule ten grondslag lag.

'Echte grote schrijvers schrijven geen formuleboeken,' heb ik Doeschka Meijsing, sprekend over *La Vie mode d'emploi*, eens horen zeggen. Op het eerste gezicht is dit een zeer verleidelijke uitspraak, een echte grote schrijver immers zal zich nooit de beperkingen van een formule laten aanleunen. Maar laten we eens kijken wat Heere Heeresma in zijn in 1990 verschenen boekje *Juichend langs de einder...* middels een zekere Ivan Panin over *Het Evangelie volgens Mattheüs* heeft op te merken. Alles maar dan ook alles in dit boek brengen Panin en hij terug tot het getal 7. 'De getalsverschijnselen zijn zo nauwkeurig dat, hoewel ze als het ware evenzoveel ringen in ringen, wielen in wielen zijn, ieder deel op zichzelf in zevenvouden volkomen is, maar toch een noodzakelijk deel uitmaakt van de rest.' *Het Evangelie volgens Mattheüs* een formuleboek? Minstens zo verontrustend is het dat aan vrijwel alle poëzie een beperkende formule ten grondslag ligt, van de *Ilias* via de *Goddelijke komedie* naar *Awater*. Het vermoeden rijst dat het uiteindelijk toch niet om de formule gaat of de 'geperfectioneerde dwangmaatregelen', zoals Hugo Brandt Corstius het heeft genoemd, maar om de vraag of en hoe we die dwangmaatregelen ervaren.

Bij poëzie zijn ze meestal zichtbaar en hoorbaar, en het is juist aan die zicht- en hoorbaarheid dat poëzie voor een deel zijn kracht ontleent. Waar we de grens trekken en hoe het komt dat we vinden dat sommige poëzie dreunt, weten we niet, maar we weten exact wanneer het zo is en dan zijn we genadeloos. Bij proza ligt de zaak anders. Daar willen we, geloof ik, vooral dat we het niet merken, terwijl we ons tegelijkertijd een beetje bekocht voelen als we merken dat we het niet hebben gemerkt. Ik ben er nog altijd van overtuigd dat we nooit iets van de regels die aan *Le Chiendent* ten grondslag liggen, zoals door Queneau beschreven in zijn artikel 'La Technique du roman', gemerkt zouden hebben als Queneau ze niet zelf op een gegeven ogenblik naar buiten had gebracht. Bij *La Vie mode d'emploi* ligt dat anders, want Perec was zo trots op de machinerie dat hij die maar al te graag liet zien.

De complete machinerie is gepubliceerd in *Le Cahier des charges de La Vie mode d'emploi*. Het begint allemaal met een tekening van Saul Steinberg waarop ons een appartementencomplex zonder voorgevel wordt getoond. We kijken dus in de appartementen, maar zien tegelijkertijd een plattegrond. Perec nu ontwierp zo'n plattegrond die bestond uit honderd vierkanten. Aan ieder vierkant zou hij in zijn roman een hoofdstuk wijden. De volgende stap was hoe hij die hoofdstukken op elkaar moest laten volgen. Hij koos daarvoor de sprong van een paard over een bord van honderd vellen. Hij koos een beginpunt en van daaruit zijn de sprongen verder eenvoudig te volgen. De roman begint dus in het trappenhuis, het tweede hoofdstuk speelt in het appartement van Madame de Beaumont, het derde in het

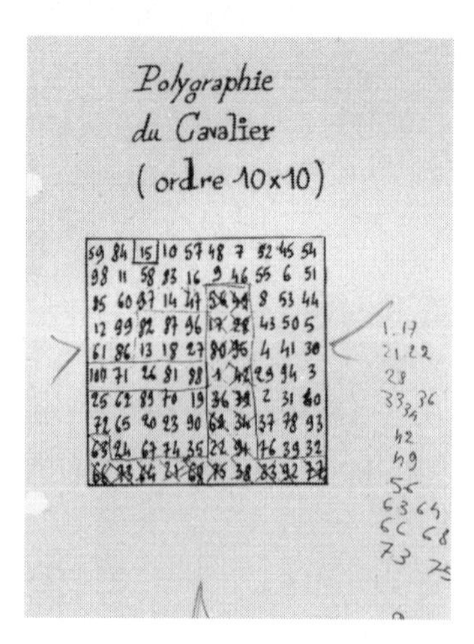

De paardensprongen voor La Vie mode d'emploi.

rechtergedeelte van de derde etage, enzovoort. De volgende stap die Perec zette, was het maken van een schema van zaken die in de roman (romans, zegt Perec zelf) een rol moesten spelen. Het gaat hierbij om zaken als houdingen, activiteiten, aantallen, muren, vloeren, meubelen, juwelen, muziek, schilderijen, spelletjes en dergelijke, maar ook om de lengte van de hoofdstukken. Dit schema zag er ten slotte uit als op pagina 265.

Nu ging het erom die elementen over de hoofdstukken van de roman te verspreiden, 42 per hoofdstuk en wel op zo'n manier dat er geen herhalingen optreden. Op 21 vierkanten met honderd vakjes werden de getallen van 1 tot en met 10 zo aan elkaar gekoppeld dat in geen enkel vak dezelfde combinatie is te vinden. Ieder vierkant werd gekoppeld aan twee elementen uit het grote schema.

Vierkant 1 is gekoppeld aan de elementen 'position' en 'activité'. Uit dit vierkant kunnen wij afleiden dat Perec in zijn eerste hoofdstuk, dat dus samenvalt met het vakje waarin de cijfers 6 en 6 aan elkaar zijn gekoppeld, position 6 en activité 6 wilde gebruiken: dus 'Monter ou + haut que le sol en servir

		1	2	3	4	5	6	7	8	9	10
1	position	agenouillé	descendre	à plat ventre	assis	debout	monter	entrer	sortir	couché sur le dos	[illegible]
	activité	peindre	entretien	toilette	érotique	classement	[illegible]	réparer	lire ou écrire	[illegible]	manger
	citation 1	Flaubert	Sterne	Proust	Kafka	Leiris	Roussel	Queneau	Verne	Borges	Mathews
	citation 2	Mann	Nabokov	Roubaud	Butor	Rabelais	Freud	Stendhal	Joyce	Lowry	Calvino
2	nombre	1	2	3	4	5	+5	1	2	3	0
	rôle	OCCUPANT	OCCUPANT	OCCUPANT	[illegible]	ouvrier	autre	client	fournisseur	domestique	vide
	3'secteur	Faits divers	Bible	[illegible]	Faire part	recette cuisine	[illegible]	agendas	[illegible]	dictionnaire	mode d'emploi
	ressort ?	[illegible] voyage	[illegible] lettre	[illegible] filiation	appât du gain	[illegible]	[illegible]	« crise »	[illegible]	[illegible]	[illegible]
3	MURS	peinture mate	[illegible]	boiseries	liège	[illegible]	papier [illegible]	[illegible]	[illegible]	papier à motifs	[illegible]
	SOLS	parquet [illegible]	p. à point de Hongrie	p. à bâtons rompus	p. mosaïque [illegible]	carrelage [illegible]	moquette	tapis [illegible]	[illegible]	tomettes	[illegible]
3	époque	ANTIQUITÉ	MOYEN ÂGE	RENAISSANCE	17e	18e	Révolution [illegible]	19e	→ 39	39-45	après-guerre
	lieu	Allemagne	Italie	Gde Bretagne	Espagne	Russie URSS	États Unis	Extrême Orient	Afrique du Nord	Amérique du Sud	[illegible]
4	style	chinois	contemporain	Louis XV [illegible]	Empire	Régence [illegible]	Napoléon III	Louis XIII	"rustique"	"camping"	[illegible]
	meubles	Table	Chaise	Fauteuil	Bahut, Armoire [illegible]	Lit	Bibliothèque	Guéridon etc...	commode [illegible]	divan, canapé	Bureau
	longueur	[illegible]	~1 p.	~2 p.	~3 p.	~4 p.	~5 p.	~6 p.	~8 p.	~10 p	12+ p.
	DIVERS	armes	argent (billets)	maladie	flamme	militaires	institutions	clergé	couteau	[illegible] 1860	[illegible]
5	age&sexe	Femme 35-60	Homme 35-60	vieillard ♂	vieillard ♀	jeune femme 17-35	jeune homme 18-35	♂ → 17 ans	♀ → 17 ans	jeune enfant → [illegible]	[illegible]
	animaux	Chat	Chien	Oiseau	Poisson	Rat Souris	[illegible]	Singe	Araignée	insectes [illegible]	Autres
	Vêtements	costume, [illegible]	manteau	veste d'intérieur	pantalon ou jupe	gilet	chemise...	chandail...	imperméable	[illegible]	blouson...
	Tissus (motifs)	uni	à rayures	à pois	à carreaux	écossais	[illegible]	à ramages	à fleurs	imprimé à motifs	brodé
6	Tissus (matières)	soie 1	laine 2	cachemire 3	flanelle [illegible] 4	nylon 5	cuir 6	fil 7	coton 8	velours 9	lin 0
	Couleurs	blanc	vert	brun	noir	jaune	orange	gris	rouge	violet	bleu ciel
	Accessoires	chapeau	cravate, foulard	écharpe, [illegible]	gants	chaussures	mouchoir	bretelles	ceintures	[illegible]	[illegible]
	bijoux	collier	bague	bracelet	camée	lunettes	médailles décorations	montre	briquet	sac à main	épingle [illegible]
7	Lectures	Quotidien	roman, essai	hebdo	lettre	[illegible]	revue	polar, SF	[illegible]	livre d'art	[illegible]
	Musiques	ancienne	classique	romantique	actuelle	contemporaine	jazz	pop et folk	[illegible]	militaire	Opéras
	Tableaux	Arnolfini	St Jérôme	Ambassadeurs	Chute d'Icare	[illegible]	[illegible] La Tempête	Metsys	Carpaccio	Bosch	[illegible]
	Livres	[illegible]	Disparition	Cristal qui songe	Moby Dick	[illegible]	[illegible]	100 ans de solitude	Hamlet	[illegible]	Ubu
8	Boissons	Eau	Vin	Alcool	Bière, cidre	Thé	Café	infusion	jus de fruit	Lait	coca etc...
	nourriture	Pain	Charcuterie	[illegible]	[illegible]	Poissons et crustacés	légumes, féculents	fromages	fruits	gâteaux [illegible]	zakouskis
	Petits meubles	[illegible]	[illegible]	[illegible]	[illegible]	[illegible]	pianos	lustres	téléphone	radio, télé etc.	boîte
	Jeux et Jouets	[illegible]	dés	dominos	Solitaire	go, échecs, dames	jaquet	[illegible]	PUZZLE	automates	[illegible]
9	Sentiments	indifférence	joie	douleur	ennui	colère	angoisse	étonnement	haine	amour	ambition
	Peintures	[illegible]	dessin	gravure	aquarelle [illegible]	Tableau	reproduction	Carte et Plan	photos	affiches	[illegible]
	SURFACES	carré	rectangle	triangle	hexagone	octogone	trapèze	rond	ovale	[illegible]	étoile
	VOLUMES	cube	parallélép.	pyramide	cylindre	sphère	oeuf	polyèdre	cône	hémisphère	tonneau
0	fleurs	Fleurs	[illegible]	Arbustes	pl. vertes	épices	[illegible]	[illegible]	fruits [illegible]	[illegible]	pl. grasses
	bibelots	marbre	pierres [illegible]	[illegible] de métal	cuivre, étain	or, argent	verre, nacre	cristal [illegible]	albâtre	bronze	[illegible]
	manque	1	2	3	4	5	6	7	8	9	0
	FAUX	1	2	3	4	5	6	7	8	9	0
	COUPLES	[illegible]	[illegible]	[illegible]	[illegible]	[illegible]	Orgueil Préjugé	Nuit Brouillard	[illegible]	[illegible]	Belle Bête

Tableau général des listes.

Het grote schema voor La Vie mode d'emploi.

d'un plan'. Kijken we naar vierkant 3 dan vinden we de cijfers 0 en 3 en als we in het schema kijken, zien we dat in hoofdstuk 1 dus ook 'cuir ou vinyl' moet voorkomen en 'parquet à bâtons rompus'. Perec ging zo zijn 21 tovervierkanten af en stelde vervolgens per hoofdstuk een lijst samen van zaken die in dat hoofdstuk moesten voorkomen. Voor hoofdstuk 1 weten we nu dus dat we 'klimmen' kunnen verwachten, 'een plattegrond' en 'leer of vinyl', en inderdaad, in de tweede alinea lezen we: 'Ja, hier zal het beginnen: tussen de derde en de vierde etage, rue Simon-Crubelier 11. Een vrouw van een jaar of veertig is de trap aan het beklimmen; ze draagt een lange regenjas van skai. (...) De vrouw bekijkt een plattegrond die zij in haar linkerhand houdt.' Het is dus waar, al moet gezegd dat het allemaal nog veel ingewikkelder is dan ik nu heb beschreven en dat Perec zich voortdurend niet aan zijn eigen regels houdt of er op dramatische wijze van afwijkt. Maar via de schema's en lijsten in het *Cahier des charges* valt vrij nauwkeurig te voorspellen wat je in *La Vie mode d'emploi* zoal zult tegenkomen, in de vorm van 10 x 420 = 4200 vaste punten. En ook weer niet natuurlijk, want het boek is meer, veel meer dan zijn formule. Het is uiteraard mogelijk om *Het leven een gebruiksaanwijzing* gewoon van het begin tot het eind te lezen, maar de diverse registers bieden andere mogelijkheden. Zodra je ontdekt dat Gaspard Winckler en Bartlebooth de hoofdpersonen zijn, kun je eerst eens hun geschiedenissen volgen, en waarom niet? Heeft Perec zich soms aan een chronologie gehouden? Wie begint met hoofdstuk XXVI Bartlebooth, wordt meteen met de essentie van de hele geschiedenis geconfronteerd: 'Laten we ons een man voorstellen wiens fortuin slechts geëvenaard wordt door zijn onverschilligheid ten aanzien van wat men in het algemeen met een fortuin kan doen, en die er, veel hoogmoediger, naar zou verlangen niet de gehele wereld... dat streven zou alleen al door het noemen ervan tot mislukken gedoemd zijn... maar een bepaald onderdeel ervan te begrijpen, te beschrijven en uitputtend te behandelen: het zal er dus om gaan tegenover de onontwarbare onsamenhangendheid van de wereld een ongetwijfeld beperkt, maar volledig, onverkort en onwrikbaar programma tot het einde toe uit te voeren.

Bartlebooth, die zich hooguit voor stropdassen en paarden interesseert, besluit op zijn twintigste zijn hele leven te organiseren 'rond één enkel plan waarvan de willekeurige noodzaak geen ander doel zal hebben dan de verwezenlijking van dat doel'. We herkennen inmiddels de contouren van het boek dat we aan het lezen zijn, maar als we Bartlebooths plannen onder ogen krijgen weten we het zeker: 'Zo ontstond er een concreet programma dat zo samengevat kon worden: gedurende tien jaar, van 1925 tot 1935, zou Bartlebooth zich de grondbeginselen van het aquarelleren eigen maken. Gedurende twintig jaar, van 1935 tot 1955, zou hij de wereld afreizen en met een gemiddelde van één aquarel per twee weken vijfhonderd zeegezichten van hetzelfde formaat schilderen (50 x 65 oftewel raisin) die zeehavens zouden voorstellen. Telkens als er een van die zeegezichten voltooid was, zou het naar een gespecialiseerde ambachtsman (Gaspard Winckler) gestuurd worden, die het op een dun houten bord zou plakken en er met een zaag een puzzel van zevenhonderdvijftig stukjes van zou maken. Gedurende twintig jaar, van 1955 tot 1975, zou Bartlebooth, naar Frankrijk teruggekeerd, in de juiste volgorde de aldus bewerkte puzzels reconstrueren met alweer een gemiddelde van één puzzel per twee weken. Naarmate de puzzels in elkaar gevoegd werden, zouden de zeegezichten "geretextureerd" worden zodat ze van hun ondergrond losgeweekt konden worden, overgebracht naar de plaats waar zij twintig jaar eerder geschilderd waren, en ondergedompeld in een reinigende oplossing, waaruit slechts een ongerept en maagdelijk blad Whatman-papier te voorschijn zou komen.'

Op de laatste pagina van het boek, het is 23 juni 1975 en op slag van achten 's avonds, zit Bartlebooth dood aan tafel in zijn kamer. 'Op het tafelkleed vormt, ergens in de avondhemel van de 439e puzzel, het zwarte gat van het enige nog niet geplaatste stukje de bijna volmaakte omtrekken van een x. Maar het stukje dat de gestorvene in zijn vingers houdt, heeft de, ironisch genoeg allang voorspelbare, vorm van een w.'

De w uit *Het leven een gebruiksaanwzijzing* wijst dramatisch terug naar *W of de jeugdherinnering. W of de jeugdherinnering* is Perecs aangrijpendste, verschrikkelijkste boek. In de openingsalinea van het tweede hoofdstuk worden de verschrikkingen radicaal samengevat. 'Ik heb,' schrijft Perec, 'geen herinneringen aan mijn kinderjaren. Tot mijn twaalfde jaar ongeveer kan mijn levensverhaal in een paar regels samengevat worden: ik heb mijn vader op mijn vierde verloren en mijn moeder op mijn zesde; ik heb de oorlog in verschillende pensions in Villard-de-Lans doorgebracht. In 1945 hebben de zuster van mijn vader en haar man me geadopteerd.' Perecs vader sneuvelde in de eerste dagen van de oorlog. Zijn moeder werd gedeporteerd en waarschijnlijk meteen na aankomst in Auschwitz vergast.

Wie geen jeugdherinneringen heeft zal ze moeten verzinnen: 'Toen ik dertien was, verzon, vertelde en tekende ik een verhaal. Later vergat ik het. Zeven jaar geleden, op een avond in Venetië, herinnerde ik me plotseling dat die geschiedenis W heette en dat het in zekere zin zo niet de geschiedenis dan toch een geschiedenis van mijn kinderjaren was. Afgezien van die plotseling aan de vergetelheid ontrukte titel herinnerde ik me praktisch niets van W. Alles wat ik ervan wist, valt in twee regels samen te vatten: het leven in een maatschappij die zich louter en alleen met sport bezighoudt, op een eilandje in Vuurland.'

Geen herinneringen aan je jeugd en een verzonnen geschiedenis van je kinderjaren die je bent vergeten, erger kan het welhaast niet. In *W of de jeugdherinnering* probeert Perec de gruwel te bezweren door aan de ene kant zijn jeugd te documenteren en aan de andere kant het verhaal van W te reconstrueren dan wel opnieuw te verzinnen. De snippers, de enkele foto, het briefje, de vage herinnering krijgen hun schrijnende kracht door hun inbedding in het gedetailleerde verslag van de sportieve verschrikkingen van W: 'Je moet ze zien, die Atleten die in hun gestreepte pakken op karikaturen van sportlui rond 1900 lijken, wanneer ze met de ellebogen tegen het lichaam een groteske sprint inzetten. Je moet ze zien, die kogelstoters die kanonskogels moeten werpen, die hoogspringers die log in een kuil vol mestgier vallen. Je moet die met pek en veren ingesmeerde worstelaars zien, je moet die langeafstandlopers zien die zich hinkend of op handen en voeten voortbewegen, je moet de overlevenden van de marathon zien, kreupel en verkleumd en voorthobbelend tussen twee dichte rijen met stokken en knuppels bewapende Lijnrechters, je moet ze zien, die uitgemergelde Atleten met grauwe gezichten en altijd gekromde ruggengraat, die kale glimmende schedels, die ogen altijd vol paniek, die etterende wonden, al die onuitwisbare merktekens van een permanente vernedering, van een bodemloze angst, al die ieder uur, iedere dag, iedere seconde toegediende tekenen van een welbewuste, georganiseerde hiërarchische vermorzeling, je moet die enorme machine zien functioneren waarvan ieder radertje met onverbiddelijke doelmatigheid meewerkt aan de stelselmatige vernietiging van de mannen, om je niet meer te verbazen over de matigheid van de genoteerde prestaties: de 100 meter wordt in 23'4 gelopen, de 200 meter in 51'; de beste springer is nooit verder dan 1,30 meter gekomen.'

W of de jeugdherinnering is het verhaal van een man met lege handen die probeert een verleden te scheppen en zichzelf de vader en moeder terug te geven die hem door de oorlog en de kampen zijn afgepakt. Zo'n poging is tot mislukken gedoemd, maar de poging is er des te aangrijpender om.

Onlangs drong plotseling tot me door dat Georges Perec al meer dan twintig jaar dood is. Dat wist ik wel natuurlijk, maar op de een of andere manier had ik hem al die jaren in mijn hoofd in leven weten te houden. Georges Perec? Die liep gewoon door Parijs. Weliswaar vormden de beginletters van de straten die hij aaneenreeg de woorden van een cyclus die veertien sonnetten moest beslaan, maar als je hem zo zag lopen kon je dat niet zien natuurlijk. Georges Perec? Die schreef aan een

la maison est très belle, pas très grande, mais toute blanche, avec un jardin, au milieu d'un petit village. Ars en Ré. rempli de vacanciers plutôt huppés. Ce matin (plus précisément de midi à 3 heures) nous sommes allés sur la plage.

Georges Perec in 1975.

roman als een legpuzzel waarvan de 262 144 stukjes (64^3) tezamen de plattegrond vormden van Parijs anno 2000, het jaar dat hij 64 werd. En nu was hij dood. Enigszins gedeprimeerd liep ik naar de boekenkast en haalde *espèce d'espaces* te voorschijn. *Espèce d'espaces* is uit 1974. Het is een dun boekje. 128 pagina's. Waar veel in staat. Toen het verscheen was Perec de schrijver van *De dingen* en *La Disparition*. *De dingen* is een beetje saai. Vind ik. *La Disparition* is het langste lipogram uit de Franse literatuur. Ook een beetje saai eerlijk gezegd. Maar in *espèce d'espa-*

ces belooft Perec grote dingen en die heeft hij allemaal waargemaakt. *W of de jeugdherinnering* (1975), *Je me souviens* (1978), *Het leven een gebruiksaanwijzing* (1978). Net als het postuum verschenen *Tentative d'épuisement d'un lieu parisien* (1982) worden al deze boeken aangekondigd in *espèce d'espaces*, dat zelf trouwens ook een klein meesterwerk is.

Een voor een pakte ik de boeken uit de kast en ik las. Toen las ik enkele gedeelde herinneringen:

Ik herinner mij Ronconi, Brambilla en Jesus Moujica; en Zaaf, de eeuwige 'rode lantaarn'.
Ik herinner mij een stuk van Earl Bostic dat Flamingo heette.
Ik herinner mij dat ik een verzameling luciferdoosjes en pakjes sigaretten was begonnen.
Ik herinner mij de tijd dat Sacha Disel jazzgitarist was.
Ik herinner mij de *scoubidou*.
Ik herinner mij de rubrieken 'Waar of niet waar?' 'Wist je dat?' en 'Niet te geloven maar waar' in kinderbladen.
Ik herinner mij het grote orkest van Ray Ventura.
Ik herinner mij dat Shirley McLaine haar debuut heeft gemaakt in *The Trouble With Harry* van Hitchcock.
Ik herinner mij de 'musketiers' van het tennis: Petra, Borotra, Cochet en Destremeau.
Ik herinner mij Walkowiak.
Ik herinner mij dat Claudia Cardinale in Tunis is geboren (of in ieder geval in Tunesië).
Ik herinner mij mijn verbazing toen ik hoorde dat 'cow-boy' 'koeienjongen' betekende.
Ik herinner mij de moord op Sharon Tate.
Ik herinner mij het 'baarden-tennis': je telde de baarden die voorbijkwamen: 15 voor de eerste, 30 voor de tweede, 40 voor de derde en 'game' bij de vierde.
Ik herinner mij Zatopek.
Ik herinner mij dat ik op de bel van het einde van de les wachtte.

Ik herinner mij

Kaatje ging eens water halen
Bij een hele diepe put
Kwamen zeven Arabieren
Grepen Kaatje bij haar
Keurig net gestreken bloesje...

Ik herinner mij de hoelahoep.
Ik herinner mij..............................

... en toen herinnerde ik mij dat Georges Perec helemaal niet dood is. Hij is even een blokje om. Pakje sigaretten halen. Als hij thuiskomt gaat hij de katten aaien en begint hij aan puzzelstukje 258 048.

Nog 4096 stukjes te gaan.

Bibliografie

Alles in het groot: HONORÉ DE BALZAC en ALEXANDRE DUMAS
Graham Robb: *Balzac A Biography*, Picador, Londen, 1994
Daniel Zimmerman: *Alexandre Dumas Le Grand*, Julliard, Parijs, 1993

GEORGE SAND en ALFRED DE MUSSET: het Venetiaans avontuur
Curtis Cate: *George Sand, a Biography*, Hamish Hamilton, Londen, 1975
Francine Mallet: *George Sand*, Grasset, Paris, 1975
Frank Lestringant: *Alfred de Musset*, Flammarion, Paris, 1999
George Sand/Alfred de Musset: *Een moeilijke liefde, De correspondentie tussen George Sand en Alfred de Musset en een keuze uit het dagboek van George Sand*, bezorgd en vertaald door W. Scheltens, De Arbeiderspers, Privé-domein nr.80, Amsterdam, 1982
Sand & Musset: *Lettres d'amour*, présentées par Françoise Sagan, Hermann, Parijs, 1985
Jean-Pierre Guéno, Diane Kurys, Roselyne de Ayala: *Sand & Musset. Les Enfants du siècle*, Éditions de La Martinière, Paris, 1999
Maxime Du Camp: *Uren met Flaubert en andere herinneringen*, samengesteld, vertaald en van een voorwoord voorzien door Edu Borger, De Arbeiderspers, Privé-domein nr.206, Amsterdam, 1996

FÉLIX NADAR en zijn reuzenballon
Félix Nadar: *Toen ik fotograaf was,* vertaald en van een nawoord voorzien door Mechtild Claessens, De Arbeiderspers, Privé-domein nr. 237, Amsterdam, 2000
André Barret: *Nadar. 50 photographies des illustres contemporains,* Julliard, Parijs, 1994

De wonderfrieten van CHARLES BAUDELAIRE
Claude Pichois: *Charles Baudelaire,* Julliard, Parijs, 1987
Georges Barral: *Cinq journées avec Charles Baudelaire à Bruxelles,* Obsidiane, Brussel, 1996

GUSTAVE FLAUBERT en de kleine prinses
Gustave Flaubert: *Correspondence I (janvier 1830 à juin 1851),* Édition présentée, établie en annotée par Jean Bruneau, Bibliothèque de la Pléiade, Gallimard, Parijs, 1992
Gustave Flaubert: *Reis door de Oriënt,* vertaald door Chris van de Poel, Rainbow Pocketboeken, Amsterdam, 1990
Odile de Guidis: *Plans et scénarios de Madame Bovary,* Zulma, Parijs, 1995
Enid Starkie: *Flaubert, The Making of the Master,* Penguin Books, Harmondsworth, 1971
Geoffry Wall: *Flaubert, A Life,* Faber & Faber, Londen, 2001
Julien Barnes: *Flauberts papegaai,* vertaald door Else Hoog, De Arbeiderspers, Amsterdam, 1985
Robert Baldick: *Tafelen bij Magny,* vertaald door Ed Jongma, Wetenschappelijke uitgeverij, Amsterdam, 1973
Maxime Du Camp: *Souvenirs littéraires,* Aubier, Parijs 1994
Jacques-Louis Douchin: *La Vie érotique de Flaubert,* Carrère, Parijs, 1984

De groene uren van CHARLES CROS
Charles Cros: *Oeuvres complètes,* Préface et notes de Jacques Brenner, post-face de Guy-Charles Cros, Club français du livre, Parijs 1954

Charles Cros: *Jacques Brenner* (préface) en Jan Lockerbie (red.), Pierre Seghers, Parijs, 1955

STÉPHANE MALLARMÉ, MÉRY LAURENT en de posterijen
Gordon Millan: *Mallarmé: A Throw of the Dice, The Life of Stéphane Mallarmé,* Secker & Warburg, Londen, 1994
Stéphane Mallarmé: *Lettres à Méry Laurent,* Édition établie et présenté par Bertrand Marchal, Gallimard, Parijs, 1996

De laatste jaren van PAUL VERLAINE
Ernest Delahaye: *Verlaine,* Albert Messein, Parijs, 1919
Alain Buisine: *Paul Verlaine, Histoire d'un corps,* Éditions Tallandier, Parijs, 1995
Album Paul Verlaine, Iconographie choisie et commentée par Pierre Petitfils, Bibliothèque de la Pléiade, Gallimard, Parijs, 1981

RIMBAUD scholier
Arthur Rimbaud: *Oeuvres complètes,* Édition établie, présenté et annotée par Antoine Adam, Bibliothèque de la Pléiade, Gallimard, Parijs, 1979
Paterne Berrichon: *La Vie de Jean-Arthur Rimbaud,* Mercure de France, Parijs, 1897
Enid Starkie: *Arthur Rimbaud,* vertaald door Nelleke van Maaren, De Arbeiderspers, Open domein nr.7, Amsterdam, 1984
Claude Jeancolas: *Rimbaud,* Flammarion, Parijs, 1999
Jean-Jacques Lefrère: *Arthur Rimbaud,* Fayard, Parijs, 2002
Graham Robb: *Rimbaud, De biografie,* Bert Bakker, Amsterdam, 2003
Album Rimbaud, Iconographie réunie et commentée par Henri de Matarasso et Pierre Petitfils, Bibliothèque de la Pléiade, Gallimard, Parijs, 1967
Claude Jeancolas: *Passion Rimbaud, L'Album d'une vie,* Textuel, Parijs, 1998

RIMBAUD in Afrika
Arthur Rimbaud: *Afrikaanse brieven*, vertaald en van een voorwoord voorzien door Per Justesen, De Arbeiderspers, Privé-domein nr.239, Amsterdam, 2001
Charles Nicholl: *Somebody Else, Arthur Rimbaud in Africa 1880-1891*, Jonathan Cape, Londen, 1997
Claude Jeancolas: *L'Afrique de Rimbaud Photographiéee par ses amis*, Textuel, Parijs, 1999
Rimbaud à Aden, Fayard, Parijs, 2001

COLETTE, het dier en het woord
Colette: *Mes Vérités Entretiens avec André Parinaud*, Écriture, Parijs, 1999
Judith Thurman: *Colette, Een zinnelijk leven*, vertaald door Annelies Eulen, De Bezige Bij, Amsterdam, 2001
Album Colette, Iconographie choisie et commentée par Claude et Vincenette Pichois avec la collaboration d'Alain Brunet, Bibliothèque de la Pléiade, Gallimard, Parijs, 1984

LÉON-PAUL FARGUE: de wandelaar van Parijs
Jean-Paul Goujon: *Léon-Paul Fargue, Poète et piéton de Paris*, Gallimard, Parijs, 1997

VICTOR SEGALEN: het manuscript als avontuur
Victor Segalen: *Voyageur et visionnaire*, Sous la direction de Mauricette Berne, Bibliothèque nationale de France, Parijs, 1999

ARTHUR CRAVAN: de dichter met het kortste haar van de wereld
Maria Lluisa Borras: *Cravan: une stratégie du scandale*, Jean Michel Place, Parijs, 1996

MAURICE BLANCHARD, dichter en vliegtuigbouwer
Maurice Blanchard: *Danser sur la corde. Journal 1942-1946*, Présentation et notes de Pierre Peuchmaurd, L'Ether Vague, Toulouse, 1994

CÉLINE en Bébert
Louis Ferdinand Céline: *Van de ene dood naar de andere, Brieven, artikelen en polemieken*, gekozen, ingeleid en vertaald door E. Kummer, De Arbeiderspers, Privé-domein nr.55, Amsterdam, 1979
Frédéric Vitoux: *Bébert. De kat van Louis-Ferdinand Céline*, vertaald door Jan Versteeg, De Arbeiderspers, Amsterdam, 1987
Frédéric Vitoux: *Het leven van Céline*, vertaald door Jan Versteeg, De Arbeiderspers, Amsterdam, 1990
Album Céline, Iconographie réunie et commentée par Jean-Pierre Dauphin et Jacques Boudillet, Bibliothèque de la Pléiade, Gallimard, Parijs, 1977

ALBERT COHEN en zijn Dapperen
Jean Blot: *Albert Cohen*, Balland, 1986
Myriam Champigny Cohen: *Le livre de mon père suivi des Lettres de ma mère*, Actes Sud, Parijs, 1996

MARCEL PAGNOL en de koerier
Jacques Bens: *Pagnol*, Écrivains de toujours, Éditions du Seuil, Parijs, 1994

PHILIPPE SOUPAULT: reiziger zonder bagage
Philippe Soupault: *Mémoires de l'Oubli, 1914-1923*, Lachenal & Ritter, Parijs, 1981
Philippe Soupault: *Mémoires de l'Oubli, 1923-1926*, Lachenal & Ritter, Parijs, 1986
Portrait de Philippe Soupault, Bibliothèque nationale de France, Parijs, 1997

Surrealistische dromen
Jean-Paul Clébert: *Dictionnaire du surréalisme*, Éditions du Seuil, Parijs, 1996
Les Jeux surréalistes, mars 1921-septembre 1962, Présenté et annoté par Emmanuel Garrigues, Gallimard, Parijs, 1995

Seksuele obsessies, Surrealistische seances 1928-1932, Samenstelling en inleiding José Pierre, Vertaling René Sanders, Willem Desmense, Rhodé Bouter, IJzer, Utrecht, 1996
Man Ray: *Belicht geheugen*, vertaald door Erica Stigter, De Arbeiderspers, Privé-domein nr. 207, Amsterdam, 1996
Mark Polizzotti: *Revolution of the Mind The Life of André Breton*, Farrar, Straus and Giroux, New York, 1995
Desnos: *Oeuvres*, Quarto, Gallimard, Parijs, 1999

Gala en PAUL ÉLUARD
Dominique Bona: *Gala*, Flammarion, 1995
Album Éluard, Iconographie réuni et commentée par Roger-Jean Segalet, Bibliothèque de la Pléiade, Gallimard, Parijs, 1968
Visages d'Éluard, Musée d'art et d'histoire de Saint-Denis, Saint-Denis, 1995

Een villa in Hyères
Laurence Benaim: *Marie-Laure de Noailles. La vicomtesse du bizarre*, Bernard Grasset, Parijs, 2001
La Villa Noailles. Une Aventure moderne, sous la direction de François Carrassan, Plume, Parijs, 2001
Luis Buñuel: *El ojo de la libertad*, Publicaciones de la Residencia de Estudiantes, Madrid, 2000
Luis Buñuel: *Mijn laatste snik*, vertaald door Jeanne Holierhoek, Meulenhoff, Amsterdam, 1983
Luis Buñuel: *De Andalusische hond*, vertaald door Barber van de Pol, Meulenhoff, Amsterdam, 1997

De crashes van ANTOINE DE SAINT-EXUPÉRY
René De Lange: *La Vie de Saint-Exupéry* suivi de *Tel que je l'ai connu* par Léon Werth, Éditions du Seuil, Parijs, 1948
Paul Webster: *Antoine de Saint-Exupéry, The Life and Death of the Little Prince*, Macmillan, Londen, 1993
Emmanuel Chadeau: *Saint-Exupéry*, Plon, Parijs, 1994

Olivier et Patrick Poivre d'Arvor: *Courriers de nuit, Guillaumet, Mermoz, Saint-Exupéry, le roman de l'Aéropostale*, Éditions Place des Victoires, Parijs, 2002
Album Antoine de Saint-Exupéry, Iconographie choisie et commentée par Jean-Daniel Pariset et Frédéric d'Agay
Bibliothèque de la Pléiade, Gallimard, Parijs, 1994

ROBERT DESNOS en de roos

Desnos: *Oeuvres*, Quarto, Gallimard, Parijs, 1999
Dominique Desanti: *Robert Desnos, le roman d'une vie*, Mercure de France, Parijs, 1999
Youki Desnos: *Les Confidences de Youki*, Fayard, Parijs, 1999
Robert Desnos: *Des Images & des mots*, Éditions des cendres, Parijs, 1999

De val van JACQUES PRÉVERT

Marc Andry: *Jacques Prévert*, Éditions de Fallois, Parijs, 1994
Jean-Claude Lamy: *Prévert, les frères amis*, Robert Laffont, Parijs, 1997
Yves Courrière: *Jacques Prévert en vérité*, Gallimard, Parijs, 2000
Bernard Chardère: *Le Cinéma de Jacques Prévert*, Le Castor Astral, Bordeaux, 2001
Album Jacques Prévert, Iconographie choisie et commentée par André Heinrich, Bibliothèque de la Pléiade, Gallimard, Parijs, 1992

RAYMOND QUENEAU en zijn speeltjes

Raymond Queneau: *Bâtons, chiffres et lettres*, Gallimard, Parijs, 1965
Raymond Queneau: *Mijn moeder zong*, Samengesteld, vertaald en geannoteerd door Jan Pieter van der Sterre, De Arbeiderspers, Privé-domein nr. 232, Amsterdam, 1999
Michel Lécureur: *Raymond Queneau Biographie*, Les belles lettres, Parijs, 2002

Jean Queval: *Raymond Queneau Portrait d'un poète*, Iconographie rassemblée et legendée par André Blavier, Henri Veyrier, Parijs, 1984
Les très riches heures du Collège de Pataphysique, Fayard, Parijs, 2000
Oulipo La Littérature potentielle, Gallimard, Parijs, 1973
Oulipo Atlas de littérature potentielle, Gallimard, Parijs, 1980
Album Raymond Queneau, Iconographie choisie et commentée par Anne-Isabelle Queneau
Bibliothèque de la Pléiade, Gallimard, Parijs, 2002

FRANÇOISE SAGAN en Billie Holiday
Françoise Sagan: *Dierbare herinneringen*, vertaald door Greetje van den Bergh, Privé-domein nr. 119, De Arbeiderspers, Amsterdam, 1985
Jean-Claude Lamy: *Sagan*, Mercure de France, Parijs, 1988

De verloren jeugd van GEORGES PEREC
Georges Perec: *Cahier des charges de La Vie mode d'emploi*, Présentation, transcription et notes par Hans Hartje, Bernard Magné et Jacques Neefs, Zulma, Parijs, 1993
David Bellos: *Georges Perec, A Life in Words*, Harvill, Londen, 1993
Jacques Neefs et Hans Hartje: *Georges Perec Images*, Éditions du Seuil, Parijs, 1993
Portrait(s) de Georges Perec, sous la direction de Paulette Perec, Bibliothèque nationale de France, Parijs, 2002

Register

Verantwoording afbeeldingen

Alexandre Dumas Le Grand, Biographie. Julliard, Parijs: 12, 13; *Maison de Balzac, guide général*, Parijs: 15; *Sand & Musset, Les enfants du siècle.* Jean-Pierre Guéno e.a., Éditions de la Martinière, Parijs: 18, 21, 25; *Nadar, 50 photographies des illustres contemporaines*, Julliard, Parijs: 31, 36, 38; *Baudelaire*, Claude Pichois, Hamish Hamilton, London: 37; *Kleine boekje Flaubert*, 41, 45, 47; Boekje Cros: 54, 59; *Mallarmé: a throw of the dice, The life of Stéphane Mallarmé.* London, Secker & Warburg: 70, 71; *Mallarmé, 1842-1898. Un destin d'écriture*, Yves Peyré (red.): 72; *Album Paul Verlaine*, Bibliothèque de la Pléiade, Gallimard, Parijs: 77, 79; *Album Rimbaud*, Bibliothèque de la Pléiade, Gallimard, Parijs: 84, 90, 96, 108, 114; *Colette, een zinnelijk leven.* De Bezige Bij, Amsterdam: 117. *Album Colette*, Bibliothèque de la Pléiade, Gallimard, Parijs: 119, 122; *Léon-Paul Fargue, Poète et piéton de Paris*, Jean-Paul Goujon. Gallimard, Parijs: 124; *Victor Segalen: Voyageur et vissionaire*, sous la direction de Maurice Berne. Bibliothèque nationale de France, Parijs: 129, 131; *Cravan: une stratégie du scandale*, Jean Michel Place, Parijs: 134, 136; *Maurice Blanchard: Danser sur la corde. Journal 1942-1946*, Présentation et notes de Pierre Peuchmaurd. Léther Vague, Toulouse: 147; *Album Céline*, Bibliothèque de la Pléiade, Gallimard, Parijs: 152, 156; *Het leven van Céline*, Frédéric Vitoux, De Arbeiderspers, Amsterdam: 159; *Pagnol*, Jacques Bens, Éditions du Seuil, Parijs: 169, 171, 173; *Portrait de Philippe Soupault*, Bibliothèque nationale de France, Parijs: 177, 179; *Album Éluard*, Bibliothèque de la Pléiade, Parijs: 182, 188, 198; *Luis Buñuel: El ojo de la libertad*, Publicaciones de la Residencia Estudiantes, Madrid: 204, 207; *Courriers de nuit*, Olivier et Patrick Poivre d'Arvor. Éditions Place des Victoires, Paris: 211, 213, 215; *Œuvres*, Desnos, Gallimard, Parijs: 219; *RobertDesnos: des images & des mots*, Éditions des cendres, Parijs: 220; *Album Jacques Prévert*, Bibliothèque de la Pléiade, Gallimard, Parijs: 224, 229; *Album Raymond Queneau*, Bibliothèque de la Pléiade, Parijs: 233, 241, 245; *Les très riches heures du Collèges de 'Pataphysique'*, Les belles lettres, Parijs: 243; *René Char. Dans l'atelier du poète*, Gallimard, Parijs: 250, 252; *Sagan*, Jean-Claude Lamy, Mercure de France, Parijs: 256; *Georges Perec: Cahier des charges de La Vie mode d'emploi*, Zulma, Parijs: 264, 267; *Georges Perec Images*, Éditions du Seuil, Parijs: 270